Oculto en la ciudad

Stuart Woods

Oculto en la ciudad

Traducción de
Nora Watson

 **Editorial El Ateneo**

Woods, Stuart
    Oculto en la ciudad. - 1a ed. Buenos Aires : El Ateneo, 2005.
    320 p.; 22x14 cm.

    Traducido por: Nora Watson

    ISBN 950-02-7481-7

    1. Narrativa Estadounidense-Novela I. Nora Watson, trad. II. Título
    CDD 813

Diseño de cubierta: Departamento de Arte de
                      Editorial El Ateneo

Diseño de interiores: Lucila Schonfeld

Oculto en la ciudad
Título original: Reckless abandon
Traductor: Nora Watson

Primera edición de Editorial El Ateneo
© 2005, Grupo ILHSA S.A.
Patagones 2463 - (C1282ACA) Buenos Aires - Argentina
Tel.: (54 11) 4943 8200 - Fax: (54 11) 4308 4199
E-mail: editorial@elateneo.com

ISBN 950- 02- 7481-7

Impreso en Verlap S.A.,
Comandante Spurr 653, Avellaneda,
provincia de Buenos Aires,
en el mes de abril de 2005.

Queda hecho el depósito que establece la ley 11.723.

Libro de edición argentina

Dedico este libro a Harry y Gigi Benson

1

Temprano, en Elaine's.

Stone Barrington acababa de transponer la puerta cuando su teléfono celular comenzó a vibrar en el bolsillo de su chaqueta. Lo sacó, mientras Gianni lo conducía a su mesa de siempre. Dino todavía no había llegado.

—Hola.

—¿Stone? —preguntó una voz que le resultó desconocida.

—Sí.

—Soy Holly Barker.

A Stone le llevó apenas un instante desplegar la imagen de esa mujer detrás de sus párpados: alta, cabello castaño, tez bronceada por el sol, buena figura y con placa de policía.

—Hola, jefa, ¿cómo estás?

—Desconcertada.

—¿Qué puedo hacer por ti?

—Estoy en un taxi y no sé indicarle al chofer a dónde ir. ¿Puedes recomendarme un buen hotel, que no sea demasiado caro?

—¿En qué ciudad te encuentras?

—En Nueva York. En este momento nos dirigimos al Midtown Tunnel, al menos eso creo.

—¿Por qué no te hospedas en mi casa? Tengo una habitación para huéspedes.

—No vine sola. Somos dos.

—¿Masculino o femenino?

—Femenino.

—En este momento mi secretaria está trabajando todavía en casa. La llamaré y le diré que te espere. —Le dio su dirección de Turtle Bay.— En realidad tengo tres habitaciones para huéspedes: dos con cama doble y una con camas individuales, todas en el último piso. Tú eliges.

—¿Estás seguro? No quisiera causarte molestias.

—No es ninguna molestia. Para eso están las habitaciones de huéspedes.

—¿Cuándo te veré?

—¿Ya cenaste?

—No.

—Entonces deja en casa tu equipaje, refréscate un poco y reúnete conmigo en Elaine's.

—Suena fantástico. En este momento entramos en el túnel. ¿Cuánto crees que me llevará todo eso?

—Si eres rápida, una media hora, pero puesto que eres mujer...

—Media hora será perfecto, y no te permito ese "pero" —dijo ella y cortó la comunicación.

Gianni colocó un Knob Creek con hielo frente a él y Stone bebió un sorbo.

—Será mejor que le traigas algo también a él —dijo Stone señalando a Dino, su compañero de cuando era detective del Departamento de Policía de Nueva York. Dino intercambió unas palabras con algunas personas ubicadas en las mesas del frente, después se acercó a Stone y se sentó. Ya tenía delante su copa.

—¿Cómo anda tu vida? —preguntó Dino.

—Nada mal. ¿Y la tuya?

—Lo mismo. Te noto pensativo.

—Estaba tratando de recordar todo lo referente a mi viaje a Vero Beach, Florida, el año pasado, cuando fui a retirar mi Malibú en la fábrica de los Piper.

—¿Por qué?

—Yo estaba en un banco de una ciudad vecina, un lugar llamado Orchid Beach, en espera de un cheque de mostrador para pagar el avión, cuando un grupo de tipos enmascarados irrumpió en el local para asaltarlo.

—Sí, recuerdo que me lo contaste. Le dispararon a un individuo, ¿no?

—Sí. Un abogado con un apellido raro, creo que Oxblood o algo así.

—Oxenhandler.

—¿Cómo lo recordaste?

Dino se tocó la sien.

—Yo hago todos los días las palabras cruzadas de *The New York Times*. Son como una gimnasia para el cerebro.

—Qué curioso, no te lo noto más atlético.

—Recordé el apellido, ¿no? Tu cerebro, en cambio, parece haberse atrofiado. ¿Qué te hizo pensar en el asalto al banco?

—No tanto en el asalto como en la mujer.

—Ah, ahora estamos llegando al *quid* del asunto. ¿Cuál mujer?

—Es la jefa de policía de ese lugar y se llama Holly Barker. Ese mismo día iba a casarse con Oxenhandler. La conocí en la comisaría.

—¿Tú fuiste a la comisaría?

—Era testigo del hecho, y no tenía camisa.

—Juro que no te entiendo.

—Me quité la camisa para detener la hemorragia de la herida que Oxenhandler tenía en el pecho, aunque no sirvió de mucho. Él murió poco después de llegar al hospital.

—¿De modo que tenías el pecho desnudo cuando conociste a esa chica en Orchid Beach?

—Esa mujer. Se supone que no debemos llamarlas chicas, ¿recuerdas?

—Como digas.

—Un policía me prestó una camisa. Holly llegó y se hizo cargo del caso. Recuerdo lo serena que estaba a pesar de las circunstancias.

—Vaya circunstancias.

—Así es. Cuando volví a casa la llamé con cierta información y después de eso hablamos por teléfono varias veces.

—Y ¿por qué justo ahora se te ocurre pensar en esa... persona?

—Está en la ciudad. De hecho, en este momento se encuentra en casa... Dios, olvidé llamar a Joan —Stone marcó el número de su oficina y se comunicó con su secretaria—. Están por llegar a casa un par de mujeres: una se llama Holly Barker, pero no conozco el nombre de la otra. ¿Podrías instalarlas en la habitación de huéspedes que ellas elijan y darles una llave de casa?

—¿Estarás con las dos al mismo tiempo, Stone? —preguntó Joan Robertson.

—Ojalá fuera tan afortunado. Ocúpate de instalarlas. Te lo explicaré más tarde.

—Lo que usted diga, jefe —dijo ella y cortó la comunicación.

—¿Qué está haciendo ella aquí? —preguntó Dino.

—No me lo dijo. Me llamó desde un taxi camino del aeropuerto.

—Muy bondadoso de tu parte ofrecerle alojamiento —dijo Dino con tono burlón.

—Oh, cállate.

—¿Les ofreciste tu cama a las dos?

—Les ofrecí una habitación de huéspedes, eso fue todo.

—Por el momento. Bueno, supongo que es así como nunca subes de peso, ¿verdad?

—Dino...

Gianni puso un par de menús sobre la mesa.

—Seremos dos más —dijo Stone—. Y decidiremos qué comer cuando las señoras lleguen.

Gianni acercó otros dos menús y una cesta con pan caliente. Stone atacó enseguida una rebanada.

—¿Te estás preparando para después? —preguntó Dino.

—Deja de decir pavadas. Sólo quiero meterme algo en el estómago mientras tomo bourbon.

—Supongo que sabes que Mary Ann y yo estamos preocupados por ti.

—Mary Ann ya tiene suficientes preocupaciones contigo.

—Queremos verte casado con alguna joven sencilla y agradable.

—Lo que tú quieres es arrastrar a los demás contigo —dijo Stone—. ¿Y qué quieres decir con eso de una joven "sencilla"?

—Una mujer despampanante le exige demasiado a un hombre.

—Pero tú estás casado con una mujer preciosa.

—Hablo por experiencia. Cuidarlas y alimentarlas es un trabajo de tiempo completo.

—Mary Ann se ocupa de cuidar y alimentar a los dos y, por lo que recuerdo, sin la menor ayuda de tu parte.

—Bueno, ella es una mujer excepcional —dijo Dino—. Tú nunca tendrás tanta suerte.

—Muchísimas gracias.

Terminaron sus bebidas y acababan de pedir una segunda vuelta cuando Dino inclinó la cabeza hacia la puerta.

—Apuesto a que ésa es tu mujer policía —dijo.

Stone levantó la vista y vio a una mujer alta, más atractiva de lo que recordaba, que caminaba sonriendo hacia ellos.

—Hola —dijo Holly y le tendió la mano.

Stone y Dino se pusieron de pie de un salto y le consiguieron una silla.

—Éste es mi amigo Dino Bacchetti, mi antiguo compañero. Es el jefe del departamento de detectives de la Comisaría 19.

—Hola, Dino.

—Hola, Holly.

—¿Dónde está tu amiga? —preguntó Stone.

—Daisy está agotada —contestó Holly—, así que la dejé en la cama.

—¿Qué quieres beber? —preguntó Stone.

—¿Ustedes qué están tomando?

—Bourbon.

—Entonces, lo mismo para mí —dijo ella.

Gianni le trajo su copa.

—¿Y qué te trae a la gran ciudad? —preguntó Stone.

—Estoy persiguiendo a un fugitivo —dijo Holly.

Stone le entregó un menú.

—Pidamos primero la comida y luego me lo contarás en detalle.

2

Estaban a la mitad del primer plato, una ensalada de habichuelas, champiñones y tocino.

—Háblanos de tu fugitivo, Holly —dijo Dino—. Tal vez pueda darte una mano.

—Eso sería espléndido, Dino —contestó Holly—. Pero, primero, algunos antecedentes. No hace mucho, cerré un caso en mi jurisdicción que involucraba a un hombre llamado Ed Shine; su historia es bien interesante. Vino de Italia a los Estados Unidos siendo adolescente, y su verdadero nombre era Gaetano Costello.

—¿Costello?

—Sí, era primo segundo de Frank. La mafia le cambió el nombre por el de Edward Shine, logró introducir un certificado de nacimiento falso en los registros del condado, le pagó la escuela secundaria y la universidad haciéndolo pasar como hijo de un matrimonio de apellido Shine, que habían vivido en el mismo edificio de departamentos del señor y la señora Meyer Lansky. Al egresar de la universidad, Ed comienza a construir edificios de oficinas y en ningún momento tiene problemas en conseguir financiación para ello, ya que lava dinero para la mafia. Lo sigue haciendo durante 40 años, y con mucho éxito por cierto. En una de sus periódicas visitas a Florida, tiene una aventura fugaz con una mujer latina, de la que nacerá un hijo ilegítimo al que llaman Enrico. El muchachito, al que apodan Trini, toma el apellido de soltera de su madre, Rodríguez.

—Trini Rodríguez se convierte en el fiel reflejo de su padre y se lo entrena en todas las habilidades requeridas para un hombre de la mafia. Su pasatiempo favorito es matar gente. Yo creí haberlo matado, pero por lo visto volvió a la vida.

—¿Qué te hizo creer que lo habías matado? —preguntó Stone y apoyó el tenedor en el plato.

—Bueno, le clavé un cuchillo de cocina en el cuello y se lo retorcí con ganas, y cuando lo miré por última vez sangraba como loco.

Stone tragó fuerte.

—¿Y puede saberse por qué le clavaste un cuchillo de cocina en el cuello?

—En ese momento, él intentaba matar a un agente del FBI, y yo trababa de impedirlo.

—Ah.

—Pero todo parece indicar que su gente lo llevó al hospital a tiempo y logró recuperarse.

—¿No lo arrestaron?

—Sí, pero hubo complicaciones.

—¿Estaba tratando matar a un agente del FBI pero hubo complicaciones?

—Así es. Resulta que, mientras mataba gente, Trini era al mismo tiempo informante del FBI, y el AAC o agente a cargo en Miami, un individuo llamado Harry Crisp, lo llevó al hospital y lo incluyó en el Programa de Protección de Testigos, alegando que necesitaba su testimonio en ese caso tan importante... *mi* caso. Todo esto sin siquiera mencionármelo, y yo quería apresar al tipo por asesinatos en masa.

—¿De modo que el hombre que viniste a buscar a Nueva York está en el Programa Federal de Protección de Testigos? —preguntó Dino.

—Correcto.

—Bueno —dijo Dino, que se secó la boca con la servilleta y bebió un sorbo de vino—, eso hará que sea un poco más difícil arrestarlo.

—Un momento —dijo Stone—. ¿Dijiste que lo buscabas por *asesinatos en masa*?

—Así es. Yo tenía una testigo en custodia preventiva, y él mató a dos de sus familiares y también trató de matarla a ella. La mujer insistió en asistir al funeral, y el FBI cubrió el lugar con una cantidad de agentes y varios francotiradores. Yo estaba en el campanario de la iglesia, junto con uno de los francotiradores, cuando llegaron los coches fúnebres, y todo el mundo estaba en alerta máxima, atentos a la presencia de cualquier persona con un arma.

—Los ataúdes fueron sacados de los coches fúnebres y colocados junto a las tumbas, y mi testigo se acerca, pone una rosa en el primer féretro y luego se acerca al segundo y, en el momento en que lo besa, los dos cajones explotan.

—A la mierda —saltó Dino.

—Eso mismo pensé yo —respondió Holly—. Fue una masacre, por donde se la mirara. Más de una docena de personas están muertas y hay varias docenas más heridas, algunas de gravedad. Como dije, yo estaba en el campanario de la iglesia y la ola expansiva de las explosiones hizo tañir la campana y casi nos deja sordos al francotirador y a mí.

—¿Así que el tipo asesina a una docena de personas y de todos modos el FBI lo incluye en el Programa?

—Harry Crisp lo incluye en el Programa, y cuando *alguien* del FBI toma una medida, ellos nunca quieren dar marcha atrás. Piensan que les da una mala imagen.

—Apuesto a que Crisp todavía conserva su empleo —dijo Stone.

—No, gracias a un trabajito mío. Pero todavía tiene *un* empleo: es el AAC en la Samoa Norteamericana.

—¿*Samoa*?

—Era el lugar más remoto que pudieron encontrar para mandarlo. Ahora el AAC en Miami es Grant Early Harrison, que era el hombre del FBI que yo trataba de salvar cuando ataqué a Trini Rodríguez. En aquel momento era un agente encubierto.

—Entonces Grant Early Harrison debe sentir un enorme agradecimiento hacia ti —dijo Stone.

—Bueno, está agradecido, pero no tanto. Por él sé que Trini Rodríguez está en el Programa y en Nueva York, pero dejó de hablarme no bien se dio cuenta de que yo planeaba arrestar a Trini.

—¿De modo que ya no puedes esperar más ayuda de parte del agente Harrison?

—Ninguna en absoluto, el muy desagradecido, considerando que después de todo, también fui yo la que le consiguió ese puesto.

—¿Y cómo lo hiciste? —preguntó Stone.

Cuando su misión terminó y Ed Shine y muchos otros habían sido arrestados, un subdirector del FBI vino a visitarme y me pidió que le relatara lo sucedido. Me las ingenié para arrojar un par de granadas de mano en las rodillas de Harry Crisp, lo que dio como resultado que lo enviaran a uno de los países más alejados de la costa del Pacífico, y dije algunas cosas buenas sobre Grant que, en definitiva, contribuyeron a que le dieran el cargo de AAC en Miami.

—Confieso que no quisiera tenerte de enemiga —dijo Dino—. ¿Por casualidad no eres italiana?

—No, pero soy hija del ejército, y estuve allí veinte años comandando a la Policía Militar. Y te aseguro que en el ejército se aprende a trabajar en el sistema.

—¿También se aprende a clavarle a alguien un cuchillo en el cuello?

Holly apoyó una mano sobre el brazo de Dino.

—Dino, eso es lo primero que le enseñan a uno en el ejército, ¿no lo sabías?

—¿Estás armada? —preguntó Dino.

—No, no quise meterme en líos en el aeropuerto.

—¿Traes contigo tu placa policial y tu identificación?

—Por supuesto.

Dino se inclinó, puso un brazo debajo de la mesa, se tocó el tobillo y después cubrió algo con su servilleta y la deslizó por encima de la mesa hacia Holly.

—Creo que vas a necesitar esto —dijo.

Holly levantó una punta de la servilleta y espió lo que había debajo.

—Oh, Dino —dijo—, una Walther PPK. ¡Qué encantador de tu parte!

Stone también espió debajo de la servilleta.

—Yo tengo una igual —dijo.

—Es la tuya —dijo Dino—. No creerás que iba a darle *mi* arma, ¿no?

—¿Qué haces tú con mi *Walther*? —preguntó Stone.

—Me la prestaste la vez que hicimos aquel trabajo.

—¿Y nunca me la devolviste?

—Holly te la devolverá cuando haya disparado algunas veces a Trini Rodríguez —explicó Dino.

Holly deslizó el arma dentro de su bolso y le devolvió a Dino su servilleta.

—Espléndido —dijo Stone.

—Holly —dijo Dino—, tengo un par de amigos en la fuerza de tareas del crimen organizado. Les mencionaré el nombre de Rodríguez y veré si alguien sabe algo de él. ¿Sabes qué nombre usa en el Programa?

—No, Grant no quiso decírmelo.

—Me sería de gran ayuda que lo averiguaras.

—No sabría cómo hacerlo —replicó Holly.

—Déjame que lo piense —dijo Dino.

Llegó el plato principal y ya nadie volvió a mencionar a Trini Rodríguez.

Camino de regreso a casa en un taxi, Stone le preguntó a Holly:

—¿Tú y tu amiga están cómodamente instaladas en el piso de arriba?

—Oh, sí, gracias. La habitación es preciosa.

—Confieso que me inquieta un poco la idea de dormir en la misma casa con alguien capaz de acuchillar a un tipo por el cuello.

Holly le palmeó la rodilla.

—Prometo no hacértelo a ti —dijo—. Al menos, no la primera noche.

El taxi se detuvo frente a la casa de Stone y ambos descendieron. Stone se acercó a la puerta cancel y la abrió con su llave.

—¡Un momento! —gritó Holly—. ¡Dejé mi bolso en el taxi! —dijo y echó a correr a los gritos hacia el vehículo que se alejaba.

Stone la observó ponerse a la par del automóvil y obligarlo a detenerse, en tanto él dio media vuelta y entró en su casa. Mientras ingresaba, oyó un sonido que hizo que se le erizaran los pelos de la nuca. Quedó petrificado.

Holly subía los escalones detrás de él.

—Faltó poco —dijo.

—No te muevas —fue la contestación de Stone.

—¿Qué? Oh, Dios. ¡Daisy! ¡Bájate! —pasó corriendo junto a Stone y sujetó al animal por el collar—. ¡Sentada!

Daisy se sentó y miró a Stone con cautela.

—Éste es Stone —dijo ella—. Stone es bueno. Bueno.

Daisy se acercó a Stone y frotó su nariz contra su mano.

—¿Cómo estás, Daisy? —dijo Stone.

Ella le lamió la mano.

—Lamento no habértelo advertido —dijo Holly—. ¿Estás bien?

—Mi ritmo cardíaco se está normalizando. ¿De modo que ésta es tu amiga?

—Sí. ¿No es una belleza?

—No me mencionaste que tu amiga era una Doberman Pinscher.

—¿No lo hice?

—No.

—Espero que no te moleste que también Daisy se aloje en tu casa. De lo contrario, podríamos ir a un hotel.

—Holly, en los hoteles, las mucamas entran en la habitación varias veces por día cuando uno no está. Supongo que no querrás tener una mucama muerta en tu conciencia, ¿no?

—Daisy no es así.

—Me alivia saberlo.

—Sólo mata siguiendo órdenes.

Stone la miró con recelo.

—Era una broma.

—Ve a acostarte —dijo Stone. La observó dirigirse al ascensor. Era un espectáculo muy agradable.

Stone ya casi estaba dormido cuando sintió que Holly se le sentaba en la cama. Pensó que de todos modos no tenía tanto sueño. Extendió una mano hacia ella pero se topó con un cuerpo calentito y peludo.

—Duérmete, Daisy —gruñó.

Daisy suspiró, se acurrucó junto a Stone y se dispuso a pasar allí la noche.

3

Stone dormía profundamente cuando lo sobresaltó un ruido seco. Abrió un ojo y vio a Holly sentada en su cama, cubierta con una de sus batas de toalla y comiendo cereales de un bowl.

—Buenos días —dijo ella—. Me preparé el desayuno. ¿Quieres que te traiga algo?

Stone oprimió un botón que hacía que la cabecera de su cama se elevara y se frotó los ojos.

—¿Qué hora es?

—Las seis y cuarto —respondió ella.

Daisy, que había estado acurrucada junto a Stone, se incorporó y bostezó.

—Las seis y cuarto —repitió Stone con incredulidad.

—¿Es demasiado temprano para ti? ¿A qué hora sueles levantarte?

—Me despierto alrededor de las siete, después desayuno en la cama, leo el *Times* y hago las palabras cruzadas que trae. Por lo general me levanto a eso de las nueve.

—Bastante perezoso, ¿no?

—Yo no dirijo la fuerza policial de una ciudad de Florida —dijo Stone— y tampoco tengo gente que golpea la puerta a la madrugada exigiendo verme. Es una de las ventajas de ser tu propio jefe.

Holly asintió.

—Supongo que sí. Veo que Daisy durmió anoche contigo —dijo.

Stone también asintió.

—Eso parece. Tendrás que voltearte mientras corro hacia el baño. ¿Daisy no tiene que salir por las mañanas? ¿O acaso usa el inodoro para hacer sus necesidades?

—Tiene que salir. ¿Y por qué no puedo mirar?

—Haz lo que quieras —dijo Stone que se levantó y se dirigió al cuarto de baño. Cuando regresó, Holly seguía allí.

—Y no olvides llevar una bolsa de plástico —dijo él mientras volvía a meterse en la cama.

—¿Una bolsa de plástico?

—Para Daisy.

—¿Quieres que meta a Daisy en una bolsa de plástico? Stone negó con la cabeza.

—En Nueva York existe una ley que dice que cuando un perro hace sus necesidades, su dueño debe levantar sus excrementos, ponerlos en una bolsa y arrojarla en el basurero más cercano. El que no lo hace puede ser multado con 100 dólares. Y no traigas la bolsa de vuelta a casa.

—Increíble —dijo Holly—. ¿Qué más se les ocurrirá en la gran ciudad? —Se puso de pie.— ¿Dónde encuentro una bolsa de plástico?

—En la kitchenette —respondió Stone y le indicó el lugar con una seña—. Junto a mi cuarto de vestir; me evita un viaje en ascensor a la hora del desayuno.

Holly buscó la bolsa de plástico.

—Supongo que si vamos a salir, será mejor que primero me duche y me vista —le dijo a la perra—. Ven, Daisy.

—¿Ese animal no tiene que salir *ya mismo*? —preguntó Stone.

—Ella puede aguantarse, no te preocupes. ¿O tú quieres sacarla?

Stone giró en la cama y se tapó la cabeza.

A media mañana, ya Stone había terminado de desayunar y se estaba vistiendo cuando Holly subió por la escalera con aspecto saludable, vestida con suéter y pantalones de lana, seguida por Daisy.

—Es un lindo vecindario —comentó—. ¿Por qué se lo llama Turtle Bay?

—Hace mucho, mucho tiempo, existía aquí una bahía llamada Turtle Bay. Pero fue rellenada.

Ella se acercó a una ventana para mirar hacia la parte de atrás de la casa.

—Qué jardín hermoso. ¿Pertenece a todas las casas?

—Sí, es una propiedad común. Todas las casas se abren a ese jardín.

—Qué buena idea.

—¿Qué planes tienes para hoy?

—Supongo que comenzar a buscar a Trini Rodríguez.

—¿Ah, sí? ¿Dónde?

—¿Cuál es el lugar de reunión de los mafiosos?

Stone se puso un par de mocasines.

—Aguarda un minuto. Trini está en el Programa Federal de Protección de Testigos, ¿no?

—Sí.

—Pues bien, los federales por lo general ponen en ese programa a la gente que quieren que testifique contra la mafia, a la gente que *huye* de la mafia, ¿no es así?

—Bueno, no creo que Trini esté dispuesto a testificar contra los suyos.

—¿Entonces de quién lo está protegiendo el FBI?

—Probablemente de mí.

—Holly, eso no tiene sentido. ¿Por qué querrían protegerlo de ti?

—Porque consideran que él les pertenece y no quieren que yo logre que lo juzguen en el Condado de Indian River. Y si piensan que Trini es de ellos, entonces nadie más tiene derecho de hacer nada con él. Sin embargo, *yo* sí tengo ese derecho.

—Sí que eres una chica… quiero decir, una mujer muy decidida.

—Así es, y no me importa que me digan chica, salvo en el trabajo. Así que, ¿dónde se reúnen los de la mafia?

—Bueno, solían hacerlo en Little Italy, la zona que concentra la mayor cantidad de italianos en Nueva York, pero en la actualidad parecen estar más desperdigados. Supongo que hay algunos en cada barrio.

—¿Barrio?

—Hay cuatro en Nueva York: Brooklyn, Queens, Staten Island, Bronx y Manhattan. Hasta comienzos del siglo xx eran ciudades separadas.

—¿Dónde está Little Italy?

—En el centro de la ciudad.

—¿Un taxista sabrá cómo llevarme hasta allá?

—Eso es un poco problemático en la actualidad —respondió Stone—. Te diré qué haremos. Yo tengo un día bastante tranquilo, así que te llevaré y hasta podríamos almorzar juntos.

—Me parece estupendo, pero yo invito. Tú ocúpate de pagar el combustible.

—No te preocupes por eso.

Holly puso una mano debajo de la mandíbula de Daisy y la miró a los ojos.

—Tú quédate aquí y sé una buena chica —le dijo. Después se dirigió a Stone—: ¿Quieres que ella mate a cualquiera que entre en tu casa?

—No, gracias —respondió Stone—. No querría a mi regreso encontrar a mi secretaria muerta.

Stone se puso una chaqueta de tweed.

—Muy bien, salgamos —bajaron hacia el garaje, él abrió la puerta, sacó el automóvil marcha atrás y cerró la puerta del garaje con el control remoto.

—El motor de tu auto suena bien —comentó ella cuando él aceleró hacia la Segunda Avenida. Es un E55, ¿no?

—Felicitaciones. La mayor parte de las personas no puede distinguir este auto de un Mercedes clase-E común y corriente.

—Yo conduje uno en una oportunidad; simulé estar interesada en comprarlo. Y me gustó.

—¿Tú misma adiestraste a Daisy?

—No. La adiestró un viejo compañero de ejército de mi padre, que fue asesinado. Yo se la compré a su hija. Daisy es lo que en los círculos de criadores de perros, se llama una "Excelente Perra de Trabajo".

Stone se echó a reír.

—Eso me gusta.

—También se me aplica a mí —dijo Holly, sonriendo.

Muy pronto avanzaban entre el tráfico por las calles estrechas de Little Italy.

—Ése es Umberto's, el restaurante especializado en almejas —dijo Stone—. Allí mataron de un tiro a Joey Gallo. Por esa calle hay un café donde a otro *don* le dieron su merecido mientras jugaba a las bochas en el jardín de atrás. Es posible que hayas visto la fotografía de su cadáver, con un cigarro todavía sujeto entre los dientes.

—Creo que lo vi en el History Channel —dijo Holly.

—Supongo que en Orchid Beach tienes tiempo más que suficiente para cosas como ver el History Channel.

—Te diré, cada tanto salimos de casa. —Señaló un pequeño restaurante.— Almorcemos allí.

—De acuerdo. Aguarda a que encuentre un lugar donde estacionar.

—Mientras tanto yo iré a conseguir una mesa. —Abrió la portezuela y se apeó. Le llevó a Stone otros diez minutos encontrar un lugar para estacionar, y cuando regresó al restaurante, ella ya estaba sentada frente a una mesa junto a una ventana, estudiando el menú. A Stone le resultaba cada vez más atractiva. Entró y se sentó.

—¿Encontraste algo tentador?

—Pasta —respondió ella—. Pensaba en acompañarla con la salsa de almejas.

Se acercó un camarero.

—Yo comeré lo mismo —dijo Stone después de que ella hizo su pedido—. Y también queremos una botella de Frascati.

—Espero que sea un vino blanco seco —dijo ella.

—Lo es.

El camarero trajo la botella y le sirvió una copa a cada uno. Stone levantó su copa.

—Brindo por… —Pero, para su gran asombro, en ese momento Holly pateó su silla y salió del restaurante a toda velocidad. Él corrió hacia la puerta y miró hacia la calle justo a tiempo para verla abrirse paso por entre el gentío que había en la acera, con el bolso en una mano y su Walther en la otra.

4

Stone echó a correr en la misma dirección que Holly pero ella ya había desaparecido entre la multitud. Volvió al restaurante, dejó algo de dinero sobre la mesa y corrió hacia su automóvil. Realizó un giro en U y avanzó por la calle mirando hacia ambos lados en busca de Holly. A un par de cuadras de allí encontró un lugar para estacionar, se bajó y siguió tratando de localizarla. Finalmente, la vio media cuadra más adelante caminando hacia él. Stone se recostó contra el auto y aguardó.

—No puedo creer que ese hijo de puta corra más rápido que yo —dijo Holly, que ni siquiera jadeaba.

—¿Viste a Trini?

—Pasó justo al lado de nosotros en el restaurante. ¿No lo viste?

—No tengo la menor idea de qué aspecto tiene —dijo Stone—. ¿Por qué no me lo describes?

—Cerca de dos metros de altura, 90 kilos, aspecto más de hispano que de italiano. Cabello negro peinado con cola de caballo y cara de malo.

—¿Cara de malo? No recuerdo haber visto una descripción así en ningún cartel de persona buscada.

—Confía en mí. ¿Qué vamos a hacer con respecto al almuerzo?

Stone miró en todas direcciones.

—No pienso volver a buscar dónde estacionar. Sígueme. —La condujo algunas cuadras hacia el Chinatown, a un restaurante llamado Hong Fat, y al rato, estaban comiendo fideos.

—Dime, ¿eres nativo de Nueva York? —preguntó Holly.

—Nací y crecí en Greenwich Village; mi padre era ebanista y mi madre, pintora. Fui a la Universidad de Nueva York y estudié allí derecho. En el último año de estudios ingresé en un programa conjunto con el Departamento de Policía de Nueva York, me enamoré de las fuerzas del orden y, después de terminar mis estudios, ingresé en el DPNY, tres años más tarde me convertí en detective, tuve a Dino de compañero y me divertí en grande. Y estuve catorce años en la policía. Ésa es, en resumen, mi biografía.

Ella sacudió la cabeza.

—Incompleta. ¿Por qué abandonaste la fuerza policial?

—La fuerza policial me abandonó a mí. Estuvimos en desacuerdo con respecto a una investigación que yo tenía a mi cargo y ellos usaron una herida en la rodilla como excusa para dejarme fuera. Entonces hice un curso acelerado de preparación para el examen de ingreso al Colegio de Abogados, me presenté, lo aprobé y entré a trabajar en el estudio jurídico Woodman y Weld, cortesía de un antiguo compañero de la facultad de derecho. ¿Ahora te parece más completa?

—Por el momento —contestó ella.

—¿Y qué me dices de ti?

—Nací en el ejército, crecí en el ejército, mi madre murió cuando yo tenía doce años, entré en el ejército después de la secundaria, ascendí en el servicio, ingresé en la Escuela de Cadetes del Ejército, me nombraron oficial y durante el resto de mis veinte años dirigí la Policía Militar.

—¿Por qué no seguiste hasta los 30?

—Otra oficial y yo acusamos a un coronel de acoso sexual y, también de violación. Conseguimos que se presentara ante una corte marcial, pero fue absuelto. Después de eso, ya no había ningún lugar al que ir en el ejército. Él tenía demasiados amigos en los escalafones altos y bajos. Recibí el ofrecimiento de ser subjefa de policía en Orchid Beach; al jefe lo mataron y eso me hizo subir un peldaño. Conocí a Jackson Oxenhandler, me fui a vivir con él e hicimos planes de casarnos. Tú conoces el resto.

—¿Cómo lo estás llevando?

—Mejor de lo que esperaba. No suelo tener problemas en poner las cosas en compartimentos estancos, así que relegué lo ocurrido al fondo de mi mente. Cada tanto aflora, pero cada vez con menos frecuencia. Por fortuna Jackson había dictado testamento y me dejó muy bien cubierta.

—¿Has salido con algún hombre desde entonces?

—Sólo con uno: Grant Early Harrison. Tuvimos... bueno, supongo que lo describirías como una aventura, y después de que él consiguió el puesto de AAC en Miami, nuestra relación se enfrió. Antes, él era un agente encubierto, y eso lo hacía interesante. Ahora es un burócrata, y eso no tiene nada de atractivo.

—¿Alguna vez pensaste en irte de esa ciudad pequeña?

—Mira, en esa ciudad pequeña, como tú dices, pasan muchas más cosas de lo que crees. En tres años deshice dos redes de crimen organizado, responsables todos de homicidios y otros delitos graves relacionados. Veo en tu cara una expresión escéptica. ¿Qué piensas?

—Te veo llegando a la ciudad en busca de un individuo que está en el Programa de Protección de Testigos, yendo después a Little Italy en tu primer día y viéndolo de pronto en la calle. Es algo realmente descabellado; nunca podría suceder.

—Esta clase de cosas me pasan todo el tiempo —dijo Holly riendo—. O hay un ángel que me cuida o soy la mejor policía de la fuerza.

—Otra cosa. Está bien que lleves mi Walther mientras estás en la ciudad —el DPNY no tendría problema en aceptarlo, puesto que eres una policía de servicio—, pero si comienzas a dispararle a Trini en la calle y liquidas a un civil, bueno, eso sí que sería un problema. Creo que deberías tenerlo bien presente.

—Lo haré —contestó Holly—. No me gustaría nada que algo así ocurriera en mi jurisdicción.

—Me alegro. Y creo que también sería útil que recordaras que no estás en tu jurisdicción. Aunque le acertaras a Trini entre los ojos con el primer disparo, eso significaría mucho papeleo para los agentes locales, y los medios neoyorquinos caerían sobre ti desde una gran altura.

—Está bien, está bien —dijo Holly y levantó las manos en señal de rendición—. Ya escuché y comprendí el sermón. ¿Quieres que te devuelva tu Walther?

—Quédatela —respondió Stone—, pero antes de usarla asegúrate de que las circunstancias lo exijan.

—Lo prometo. ¿Y cómo anda *tu* vida amorosa, Stone? Ahora que hemos cubierto la mía.

—Variada —dijo Stone.

—Apuesto a que ése es un término neoyorquino que quiere decir "inexistente".

—Hablas como Dino.

—Y te he visto mirarme. Pareces un tipo bastante lujurioso.

Stone trató de no ponerse colorado.

—Eres una muchacha atractiva —dijo— pero no te pongas petulante; no te quedaría bien.

—Por supuesto, no querría hacer nada que disminuyera mi encanto.

—Si te pongo una mano en la rodilla, ¿te parece que Daisy me la arrancará?

—Lo hará si se lo ordeno.

—¿Serías capaz de ordenárselo?

—No creo necesitar su ayuda para manejarte.

Stone se atragantó con un fideo.

5

Después del almuerzo, ambos volvieron a la casa de Stone, y Holly y Daisy enfilaron hacia Central Park para una larga caminata. Stone llamó por teléfono a su oficina.

—Buenas tardes —dijo Joan secamente.

—Lamento no haberte llamado esta mañana —dijo él—. Llevé a mi invitada a almorzar al centro.

—No me dijiste que habías comprado un perro asesino —dijo ella—. Subí a buscarte y por suerte, conseguí cerrar la puerta antes de que ese animal me arrancara el brazo.

—Es de Holly y es una perra —dijo Stone—. ¿No la conociste cuando Holly llegó?

—No. En ese momento yo ya me iba. Me limité a darle a ella la llave y el código de la alarma y le señalé el piso superior, supongo que la perra estaba todavía en el taxi.

—¿Hubo alguna novedad esta mañana?

—Un hombre que asegura ser un viejo amigo tuyo te está esperando desde hace más de una hora.

—¿De quién se trata?

—No quiso decírmelo, y tampoco irse. Por favor, ¿podrías venir aquí y hacerte cargo de él?

—Voy para allá —dijo Stone. Se puso de pie y se dirigió a su oficina. Al bajar por la escalera alcanzó a ver el hall que daba a la sala de espera y divisó dos piernas largas extendidas desde una silla, con un par de zapatos muy finos en los extremos.

—Buenas tardes —dijo Stone. Todavía no le veía la cara, pero cuando el individuo se puso de pie lo reconoció.

—Lance Cabot —dijo.

—De modo que *ése* es su nombre —dijo la voz de Joan desde su oficina.

Lance le tendió la mano.

—Lo lamento, quizá me mostré demasiado cauteloso. Pensé que si llamaba por teléfono y ella le daba mi nombre, tal vez no querría recibirme.

—Venga, vayamos a mi oficina —dijo Stone y le indicó el camino. Todavía trataba de recuperar el aliento. Poco más de un año antes, un hombre había entrado en la oficina de Stone y le había ofrecido una buena cantidad de dinero para que fuera a Londres a rescatar a su sobrina de las garras de su novio malvado, cuyo nombre era, precisamente, Lance Cabot.

Stone había aceptado el trabajo, pero luego se enteró de que su cliente había usado un nombre falso y estaba tratando de localizar a Cabot para matarlo. El cliente en cuestión, cuyo nombre resultó ser Stanford Hedger, pertenecía a la CIA, y Cabot era un ex integrante de esa organización, que en ese momento se estaba portando mal. Stone le había pedido ayuda a un amigo, éste lo contactó con agentes de la inteligencia británica, quienes le pidieron que participara de un negocio con Cabot: debían robar importantes equipos de un laboratorio del ejército. Con la ayuda de alguien de adentro, Cabot había robado lo que quería, supuestamente se lo había vendido a "los malos" y había desaparecido con el dinero de Stone. Un par de semanas más tarde, y para gran sorpresa de Stone, el dinero le fue devuelto, junto con la suculenta ganancia que Cabot le había prometido.

Lance se sentó y cruzó las piernas. Vestía de manera informal, una chaqueta de tweed y pantalones color tostado, su aspecto era el de un habitante de Nueva York que había salido a dar una caminata y a beber un café.

—¿Puedo ofrecerle un café? —preguntó Stone.

—Gracias, pero su secretaria ya me convidó con uno a pesar de la desconfianza.

—¿Qué lo trae a Nueva York, Lance?

—Ahora vivo aquí, a unas pocas cuadras del centro.

Stone quedó boquiabierto.

—¿No es un fugitivo? ¿Por eso está aquí, en busca de un abogado?

Lance sacudió la cabeza.

—No soy un fugitivo y no necesito un abogado, al menos no para mí.

—¿Para otra persona, entonces?

—Tal vez, pero no todavía.

—Lo siento, pero todo esto me desconcierta. Creí que usted era buscado por todas las organizaciones de inteligencia y los departamentos de policía de Europa, por no mencionar a sus antiguos colegas.

—Ya no son ex colegas —dijo Lance. Sacó la billetera de un bolsillo y se la entregó a Stone.

Stone se encontró mirando una tarjeta de identificación de la CIA, completa, con fotografía.

—¿Cuánto hace que recuperó esto?

—Nunca dejé de tenerla —aseguró Lance—. Permítame que se lo explique. Cuando Hedger lo contrató...

—Hedger era de la CIA, ¿no?

—Sí, lo era, pero le hicieron creer que yo me había corrompido. Por eso me estaba buscando.

—No entiendo.

—Es algo complicado. Me enviaron aquí a... bueno, ostensiblemente, a comprar un invento británico, un hardware militar, como recordará, para luego ser vendido a un país del Oriente Medio... bueno, concretamente a Irak.

—¿La CIA quería que robara hardware militar británico y se lo vendiera a Saddam Hussein?

—Sí. Bueno, no exactamente. Verá, también Hedger quería ese hardware, supuestamente para nuestro programa de armas nucleares. Pero en realidad lo quería para recuperar la excelente opinión que la CIA solía tener de él.

—Esto es muy confuso. ¿O sea que la CIA le había dado a dos de sus agentes la misión de robar el hardware, haciéndoles creer que lo hacían para bandos contrarios?

—Ahora lo comprendió.

—¿Y se suponía que usted debía vendérselo a Saddam Hussein?

—Sí, y lo hice, pero no sin haberlo modificado para volverlo inofensivo. Además, requería el software adecuado, cosa que él no poseía, pero a esa altura yo ya tenía su dinero y me había hecho humo. Usted también recibió una buena tajada de esa operación. ¿Qué hizo con ese dinero?

—Pagué los impuestos correspondientes e invertí el resto, siguiendo el consejo de mi contador.

—Espléndido —dijo Lance—. Yo habría hecho lo mismo.

—Lance, le confieso que me preocupa enterarme de que hice lo que usted habría hecho.

Lance se echó a reír.

—Usted no tiene nada de qué preocuparse, Stone. Está completamente limpio.

—¿La CIA sabe que me pagó ese dinero?

—Desde luego. Me costó un poco convencerlos, pero después de señalarles repetidamente lo valioso que usted fue para nosotros, se mostraron de acuerdo.

—Pero se suponía que yo estaba ayudando a los británicos.

—Bueno, sí, pero, en realidad, todo el tiempo nos estuvo ayudando a nosotros.

—¿Y los británicos lo sabían?

Lance frunció los labios.

—No exactamente, pero lo saben ahora. Después de todo, yo los ayudé a librarse de un hombre de ellos que estaba dispuesto a venderles su tecnología a cualquiera. ¿Por qué le preocupa tanto?

—Sucede que he pasado un tiempo considerable en compañía de uno de los suyos, una mujer de apellido Carpenter.

—¿Felicity Devonshire? —preguntó Lance y lanzó una carcajada.

—Hasta hace unos meses yo ni siquiera sabía que ése era su verdadero nombre.

—Esa muchacha sí que es una maravilla. ¿Sabe que en este mismo momento la están tomando en cuenta para reemplazar a Sir Edward Fieldstone como autoridad máxima de su servicio? Si consigue ese cargo será la primera mujer en tenerlo. Además, figuró de manera prominente en la última Lista de Honores que se confieren cada año el día del cumpleaños de la Reina, como recompensa por los logros o por los servicios prestados. Ahora es Dame Felicity.

—Yo no sabía nada de esto —dijo Stone—. Ella y yo no nos separamos en los mejores términos.

—Una lástima —dijo Lance—. Es una mujer notable. Mi gente está deseando que ocupe ese cargo.

—Bien por ella. Ahora dígame, Lance ¿por qué razón vino a verme?

Lance rió entre dientes.

—Pensé que podía proponerle otros negocios.

6

L a primera reacción de Stone fue deshacerse de Lance, pero como en los últimos tiempos el trabajo no había sobra-
do y una inyección de negocios contribuiría a sus finanzas, no
lo hizo.

—¿Exactamente de qué estamos hablando? —preguntó.

—De un pequeño trabajo legal —contestó Lance mientras
observaba sus uñas cuidadosamente arregladas.

—Míreme cuando me habla, Lance.

Lance levantó la vista.

—¿Por qué cree que le estoy mintiendo?

—Porque usted nunca me dijo nada que fuera verdad. Jamás.

Lance se encogió de hombros.

—Quiero creer que entiende que ésas eran cuestiones de
negocios. Yo estaba cumpliendo una misión importante para
los intereses de la nación, y usted me estaba ayudando.

—Sí, pero no lo sabía.

—No me estaba permitido decírselo, y era importante
que usted no lo supiera. En realidad, usted no se habría visto
involucrado en el asunto si yo no hubiera estado, digamos,
transitoriamente escaso de fondos. Necesitaba el cuarto de millón que usted generosamente me facilitó, y que le significó
una buena ganancia. ¿Dónde más habría obtenido una utilidad
del 400% en menos de 30 días?

—*Todos* me mintieron, especialmente Hedger.

—Hedger está muerto. ¿Se lo mencioné?

Stone respiró hondo.

—No, no lo hizo. Quiero saber cómo y por qué. Supongo
que no fue por un infarto.

—No, lo apuñaló alguien que trabajaba para usted.

—¿De qué demonios habla? —saltó Stone.

—¿Recuerda esos dos policías británicos retirados que
usted contrató para seguirme por todo Londres y para poner
micrófonos en mi casa?

Stone no sabía que Lance estaba enterado de eso, así que no dijo nada.

—Recordará también que los hombres de Hedger aporrearon tanto a uno de ellos que finalmente murió.

—Continúe.

—Pues bien, a su compañero eso no le cayó nada bien y culpó a Hedger por ese hecho. Lo apuñaló en una antigua caballeriza ubicada a pocos pasos del Hotel Connaught, cuando usted todavía estaba en Londres.

—No lo sabía —dijo Stone.

—Scotland Yard lo silenció, porque el autor del hecho era uno de sus hombres. Y tenía, además, una foja de servicios militar ejemplar, matando gente en los Servicios Aéreos Especiales. El inspector detective Throckmorton opinaba que la vida de un sombrío policía estadounidense no valía un problema en la feliz jubilación de uno de sus antiguos agentes.

—¿Y qué dijo la CIA al respecto?

—Prácticamente nada. Alguien le ofreció a Throckmorton un buen almuerzo y recibió los detalles del operativo. Se estrecharon las manos y cada uno tomó su camino. Hedger es ahora una estrella en el monumento conmemorativo que hay en el *lobby* del edificio de la central en Langley.

—Cuanto más sé de su negocio, menos quiero enterarme.

—No debería sentir ninguna culpa por lo ocurrido a Hedger. Era una manzana podrida; durante años estuvo sacando partido de su posición para enriquecerse de varias e indeseables maneras, y en la CIA estaban hartos de él. Un adiós sin ningún juicio ni publicidad. Su muerte ni siquiera se publicó en la prensa amarilla, y mucho menos en el *Times*. Aunque en el boletín informativo de ex alumnos apareció una linda nota necrológica, compuesta en su mayor parte por mentiras.

—Un final ignominioso —musitó Stone.

—En el caso de Hedger, muy merecido.

—¿En qué consiste el trabajo que quiere que yo haga? No será algo ilegal, ¿no?

—No, no, nada de eso. En realidad es bastante simple: un individuo que tomamos para cierto trabajo contractual se metió en problemas con la ley local y...

—¿La ley local de dónde?

—Bueno, de aquí, de Gotham.

—Continúe.

—Tiene antecedentes de conducir en estado de ebriedad y otras cuestiones menores. Él necesita un abogado y nosotros sentimos la obligación de proporcionárselo. Le pagaremos a usted 500 dólares la hora.

La tarifa normal de Stone para esa clase de asuntos era de 300 dólares

—Muy generosos, por cierto.

—Verá, no queremos ir a juicio; podría ser embarazoso e incluso revelarse información que iría en detrimento de la seguridad nacional.

—O sea, en detrimento de la Central de Inteligencia o sea, de la CIA.

—Exactamente. ¿Tenemos un trato? —Lance le tendió la mano para estrechársela.

—Bueno, sí, está bien —dijo Stone y se la estrechó. Tomó una lapicera y un anotador—. ¿Cuál es el nombre de su cliente?

—Herbert Fisher; es fotógrafo profesional.

Stone estuvo a punto de ahogarse.

—Oh, no, no, no, no —dijo y extendió las manos como para protegerse del mal.

—¿Conoce al señor Fisher? —preguntó Lance con sorpresa.

—Lo conozco mucho más de lo que quisiera —respondió Stone.

—Bueno, ahora que lo pienso, él pidió que su abogado fuera usted. Me alegro de que hayamos llegado a un acuerdo.

—Aguarde un minuto, Lance. No lo haré. Ese tipo significa problemas del principio al fin: no acepta consejos legales ni hace nada de lo que se le dice.

—Stone, Stone, en realidad es un asunto sencillo. Sólo queremos que negocie algo para él. Que lo saque en libertad, de ser posible, seguro, pero no podemos permitir que vaya a juicio.

—Lance, a veces los asuntos llegan ante el tribunal, y no podemos hacer nada para impedirlo.

—Stone, nosotros sí podríamos hacer algo, si fuera necesario, pero preferimos que usted lo maneje de una manera normal.

—No me gusta cómo suenan sus palabras, Lance.

Lance levantó una mano como para aplacarlo.

—No se le ocurra atribuir segundas intenciones a mis palabras, Stone.

—¿Usted conoce a Herbie Fisher? —preguntó Stone.

—Bueno, nos han presentado.

—Entonces le diré algunas cosas sobre él. El año pasado, y por recomendación de alguien que había hecho un buen trabajo para nosotros, lo contraté para que tomara unas fotografías. Un asunto doméstico. Herbie cayó por una claraboya mientras tomaba las fotografías, lo arrestaron y, cuando logré sacarlo de la cárcel, él violó la norma que le había concedido libertad bajo fianza y huyó hacia las Islas Vírgenes. Tuve que viajar y traerlo de vuelta para que se presentara en el juzgado y poder así recuperar el dinero que había pagado por la fianza.

—Entonces es un tipo muy vivo, ¿no le parece? Y está muy bien recomendado.

—Lance, usted no puede querer tener nada que ver con ese individuo, y tampoco lo quiero yo.

—Yo no tengo problemas, Stone. Sáquelo de esto y luego los dos nos olvidaremos de él.

—No me está escuchando, Lance. No voy a representarlo.

—Usted ya estaba de acuerdo, y es un hombre de palabra.

—Pero yo no sabía de quién estábamos hablando.

—Entonces debería habérmelo preguntado antes de aceptar nuestra propuesta y de que nos estrecháramos las manos, y no después.

—Lance…

—Le diré qué haremos: le pagaremos 750 dólares la hora, en efectivo, y le enviaré un adelanto de 25.000. Lo que sobre, una vez cubiertos sus honorarios, puede depositarlo en el banco o guardarlo bajo el colchón.

Esto hizo callar a Stone el tiempo suficiente para que Lance dejara su tarjeta sobre el escritorio, se pusiera de pie y abandonara la oficina.

—Gracias, Stone —dijo por encima del hombro—. Herbert se pondrá en contacto con usted. Cenemos juntos uno de estos días. —Dicho lo cual se fue y cerró la puerta.

—Dios mío —gimió Stone.

7

Stone se estaba vistiendo cuando Holly y Daisy regresaron de su caminata.

—Hola —dijo ella.

Stone consultó su reloj.

—Por lo visto fue una caminata bien larga.

—Fuimos hasta el extremo norte del parque y luego volvimos. Creo que en realidad fue equivalente a una sesión de gimnasia.

—Entonces será mejor que te duches. Dino llamó y dijo que tiene cierta información para ti. Nos reuniremos con él dentro de una hora en Elaine's.

—Le daré de comer a Daisy y me cambiaré las medias —dijo Holly y enfiló hacia las escaleras.

Se instalaron frente a la mesa de siempre y Elaine se acercó y tomó asiento.

—¿Qué sucede?

—Ésta es mi amiga Holly Barker, que vino de visita desde Florida —explicó Stone.

Las dos mujeres se estrecharon las manos.

—¿Tú eres la mujer policía? —preguntó Elaine.

—Así es. ¿Cómo lo supiste?

—Leo los periódicos. No porque Stone te hubiera mencionado alguna vez.

—No había mucho que mencionar —se defendió Stone—. Antes de esta semana, sólo nos habíamos visto una única vez.

—Una vez siempre ha sido más que suficiente para ti —dijo Elaine y se levantó para ubicarse en la mesa contigua.

—¿Cómo debo interpretar *eso*? —preguntó Holly.

—No le prestes atención a Elaine —dijo Stone—. Le encanta hacerme quedar mal.

—¿Con respecto a las mujeres?

—Con respecto a lo que se le ocurra.

Entró Dino, colgó su chaqueta, se sentó y pidió un scotch.

—¿Qué quieres beber tú, Holly?

—Un cóctel de vodka tres a uno, batido y muy frío —le dijo al camarero.

—Que sean dos —dijo Stone.

—Suena bueno. Cancela mi scotch y que sean tres —dijo Dino.

—Me alegra tener tanta influencia sobre ustedes —dijo Holly—. ¿Qué información tienes para mí, Dino?

—Tenías razón. El tipo que buscas, Rodríguez, se encuentra en la ciudad. Ha estado asistiendo muy seguido a La Boheme, un café en Little Italy.

—Holly te lleva un poco la delantera, Dino. Almorzamos allí, ella vio a Trini y lo persiguió.

—¿En serio? ¿Entonces para qué me necesitan?

—Bueno —dijo Holly—. Yo no sabía lo del café La Boheme.

—Es un lugar donde se reúnen los de la mafia. Allí tienen su centro de operaciones por lo menos dos tomadores de apuestas y un usurero.

—Quizá mañana me dé una vuelta por allí para tomar un café.

—No sin un grupo de SWAT como apoyo —dijo Dino—. A ellos no les cae nada bien la presencia de mujeres en ese lugar.

—Entonces ha llegado el momento de actualizarlos un poco.

—No, a menos que disfrutes del crujido que hacen tus huesos al quebrarse. Ellos se muestran hostiles a los desconocidos y, en especial, si son mujeres.

—Estoy segura de que en Nueva York existe una ordenanza municipal que prohíbe esa conducta. ¿Por qué no me acompañas y la haces cumplir?

—Porque ninguna organización de fuerzas del orden, local o federal, quiere perturbar lo que ocurre en ese lugar. Entre tú y yo, allí debe de haber más equipos de audio y de video instalados en las paredes que en el Wiz.

—¿Qué es el Wiz?

—Una gran tienda de venta de artículos de audio y vídeo.

—Entiendo. Entonces quizá yo tendría que ir allá, estacionar enfrente y esperar a que Trini se presente. Y en ese momento, arrestarlo.

—Holly, no me estás escuchando. Si tratas de arrestar a alguien en ese café, se desatará un tiroteo infernal. Yo no bromeaba cuando dije lo del SWAT.

—¿Entonces puedes hacer que un equipo de SWAT me proteja, Dino?

—¿Tienes una orden de extradición?

—La tengo en el bolso, justo al lado de la Walther de Stone.

—Te propongo una cosa: si puedes hacer que el gobernador de Florida llame al gobernador de Nueva York, y el gobernador de Nueva York llama al intendente de la ciudad, y el intendente llame al comisionado policial, y el comisionado llama al jefe de detectives, y el jefe me llame a mí y me ordene hacerlo, entonces lo haré.

—Dino, no te noto muy dispuesto a actuar.

—¿Qué te hace pensar semejante cosa? ¿Fue algo que yo dije?

—Holly —dijo Stone—, lo más que obtendrás del Departamento de Policía de Nueva York, excepto en las circunstancias descriptas por Dino, es que ellos miren hacia otro lado hasta que tú estés en un avión rumbo al sur con Trini atado como un pavo.

—Dino, ¿por casualidad no sabes qué nombre usa Trini en el Programa de Protección de Testigos?

—En La Boheme, el que usa es Trini. Fuera de allí, ¿quién puede saberlo?

—Se me ha ocurrido una idea —dijo Holly y buscó su teléfono celular.

—Eso es —dijo Dino—. Llama al director del FBI. Estoy seguro de que estará encantado de ayudarte.

Holly marcó dos ceros y luego otro dígito.

—Hola, ¿podría tener la bondad de darme el número de la oficina de campo del FBI en la Samoa Norteamericana? Figura como Gobierno de los Estados Unidos, Departamento de Justicia. Sí, S-A-M-O-A. Es un grupo de islas diminutas que hay en el Pacífico Sur. Aguardaré —miró a Stone—. ¿Tienes una lapicera?

Stone le entregó la suya.

—Sí, correcto —tomó una servilleta y anotó un número largo—. ¿Y todo, salvo los últimos siete dígitos, es el código de discado? Muchísimas gracias —dijo y cortó la comunicación.

—¿Qué hora es en Samoa? —preguntó Dino.

—Ni siquiera sé qué día es —dijo Holly mientras marcaba ese número larguísimo—. Llama. Hola, ¿podría hablar, por favor, con Harry Crisp? Dígale que lo llama Holly Barker. —Asintió hacia Stone y esperó.

—Hola, ¿Harry? ¿Me oyes bien?… Caramba, Harry, eso no es muy cortés de tu parte. Yo lo único que trataba era de serte de alguna ayuda… ¿Cómo? Bueno, me he sentido un poco culpable de que te transfirieran a un lugar lejano, así que pensé que podría ayudarte a regresar a los Estados Unidos… No estoy del todo segura de poder hacerlo, pero puedo hablarle bien de ti al subdirector Barron, el tipo que te envió allá… Y, sí, desde luego que quiero algo a cambio, Harry. ¿O creíste que te ayudaría gratis? De hecho, es algo que te resultará muy fácil. Lo único que quiero es el nombre que el FBI le adjudicó a Trini Rodríguez en el Programa de Protección de Testigos… Sí, Harry, sé perfectamente que es algo muy confidencial —siguió diciendo Holly—, pero cuando se pone en la balanza una pequeña violación a la confidencialidad contra un pasaje de vuelta a casa, bueno… Mira, Harry, tú fuiste el que lo metió en ese Programa. Ni siquiera hace falta que oprimas las teclas de tu computadora; tienes ese nombre allí, en tu lóbulo frontal. No te habrán lobotomizado, ¿verdad, Harry?… Escúchame, ¿cómo podría esto causarte problemas? Nadie más que yo lo sabrá. Sólo quiero ver a Trini y saludarlo. Él ya no te sirve para nada y, en mi opinión, tampoco te sirvió en ningún momento. Sólo te proponías impedir que yo lo arrestara y lo enjuiciara en mi jurisdicción.

"Oh vamos, Harry, desembucha de una buena vez. Mira, no puedo especificarte cuál sería tu nuevo destino, pero, sinceramente, ¿cualquiera no sería mejor que éste?… Yo ni siquiera sabía que tuviste una oficina en Alaska. ¿Te gustaría que pidiera que te enviaran a Nome? Sólo bromeaba, Harry. Ahora dame el nombre y no volverás a tener noticias mías. Y si *no* me das ese nombre, tal vez nunca más volverás a tener noticias *de nadie*. —Holly escuchó y anotó algo en su servilleta.— Muchísimas gracias, Harry. Mañana a primera hora llamaré al subdirector Barron. No, aquí es la hora de la cena, Harry. Adiós.

Cortó la comunicación y les acercó la servilleta a Stone y a Dino para que la vieran.

—Robert Marshall —leyó Stone en voz alta.

Dino tomó la mano de Holly.

—Holly, ¿no te gustaría trabajar para el Departamento de Policía como enlace con el FBI?

8

Holly se puso de pie y se dirigió al baño, dejando solos a Stone y a Dino.

—¿Y? ¿Cómo va todo? —preguntó Dino.

—Te diré: hoy me topé con la peor basura.

—¿Qué novedad es ésa? ¿Qué te sucedió esta vez?

—¿Recuerdas a Lance Cabot?

—¿Ese bribón ex CIA de Londres?

—El mismo. Sucede que no es un bribón sino justamente un agente de la CIA. El bribón era Hedger, el tipo que me contrató. Lance está en Nueva York y hoy se apareció en mi oficina y me pidió que representara a un individuo que ha estado haciendo algunos trabajos para ellos. Al parecer, está acusado de conducir en estado de ebriedad y de un par de otras cosas, y la CIA quiere que todo ese lío se limpie. Yo no quería hacer ese trabajo, pero él me ofreció 750 dólares la hora y me entregó un sobre que contenía un fajo de 25.000 en crujientes billetes de 100 dólares.

—En mi opinión, la cosa no pinta nada mal. ¿Cuál es el problema?

—Que el hombre que tengo que representar es Herbie Fisher.

—¿El sinvergüenza que tuvimos que ir a arrestar a las Islas Vírgenes?

—El mismo.

—¿Has perdido el juicio? Ningún dinero en el mundo justificaría tener que vérselas con un tipo así.

—Estoy de acuerdo. Pero acepté representarlo antes de que él me dijera de quién se trataba. Y sellamos el acuerdo con un apretón de manos.

—Pues entonces anula ese apretón de manos.

—Le di mi palabra.

—Stone, Lance Cabot y la gente para la que él trabaja no tendrían ningún problema en perjudicarte si les conviniera hacerlo, y quizá sólo como diversión.

—En realidad, mis negocios con Lance, si bien no han sido exactamente honestos, se realizaron de manera honorable.

—Stone, es el mismo tipo que te convenció de que invirtieras un cuarto de millón de dólares para financiar un robo al gobierno británico y después se hizo humo.

—Pero yo recibí mi dinero de vuelta, ¿recuerdas?

—Sí, pero él te prometió una ganancia de un millón de dólares. ¿Qué fue de esa suma?

—La deposité en mi cuenta, después de descontar los impuestos.

Dino se quedó mirándolo, estupefacto.

—En serio.

—Nunca me lo dijiste.

—¿Dónde está escrito que tengo que contarte todo?

—¿Dónde está escrito que no puedo poner el cañón de un revólver sobre tu sien y apretar el gatillo? Te conviene decírmelo todo. Yo también estuve involucrado en ese caso, ¿recuerdas?

—Por lo que recuerdo, tu participación se limitó a permanecer en el Hotel Connaught, ver partidos de críquet por televisión y aumentar de peso con el servicio de habitaciones.

—No fue mucho lo que engordé —se defendió Dino.

—¿Adelgazaste esos kilos?

—Bueno, sí, en su mayor parte.

—Eso me pareció.

—¿Qué quieres? Era un hotel bastante bueno y tu amigo Hedger era el que pagaba.

—A propósito, Hedger está muerto. Lo apuñaló cerca del Connaught un ex policía que yo contraté para que siguiera a Lance.

—¿Tú lo hiciste liquidar?

—Por supuesto que no; yo no tuve nada que ver con eso. Bueno, hasta cierto punto.

Dino sacudió la cabeza.

—Vayas donde vayas, la gente cae muerta y las mujeres se quitan la ropa interior. No sé cómo logras esas dos cosas.

Holly regresó a la mesa.

—¿Han estado hablando de mí en mi ausencia?

—No —respondieron Dino y Stone al unísono.

—Eso es casi un insulto. Supuse que dirían algo lindo acerca de mi trasero cuando me vieron alejarme.

—Es un trasero muy bonito —dijo Dino—. Se lo mencioné a Stone.

—No me mientas.

Stone miró a Holly.

—Es verdad, no lo hizo. Pero igual yo lo admiré. Sólo que no dije nada.

—Sí, claro —dijo Holly—. ¿Qué hay para la cena?

—Yo me decidí por ensalada de espinacas y spaghetti alla carbonara —dijo Stone.

—Entonces yo comeré lo mismo.

—Está bien, está bien —dijo Dino—, también yo. No tiene sentido confundir al camarero eligiendo un plato diferente.

Frank apareció y le hicieron el pedido.

—Estoy desconcertado —dijo Frank—. Los tres bebieron lo mismo, ¿y ahora también comerán lo mismo?

—¿Y eso por qué te desconcierta? —preguntó Dino.

Frank sacudió la cabeza y se alejó.

El celular de Stone comenzó a vibrar y él respondió el llamado.

—Hola.

—¿Stone?

—Sí, ¿quién habla?

—Soy Herbie Fisher. ¿Cómo estás?

Stone lanzó un gruñido.

—Estoy en mitad de la cena, Herbie. Llámame por la mañana.

—¿No es fantástico? ¡De nuevo eres mi abogado!

—No, no es fantástico, Herbie, y se me enfría la comida. Llámame por la mañana.

—¿Debo tomarme dos aspirinas?

—¿Qué?

—Ya sabes, tómate dos aspirinas y llámame por la mañana. ¿No es eso lo que dicen siempre los abogados?

—Es lo que dicen los médicos, Herbie.

—Como sea. ¿De modo que vas a conseguir que me levanten los cargos?

—Haré lo mejor que pueda por ti, Herbie.

—Lance me dijo que ibas a hacer que me los levantaran.

—¿Qué fue lo que hiciste? ¿Y cuáles son los cargos?

—Aguarda un minuto, tengo la citación por alguna parte —se oyó el crujido de papeles.

—¿Ése es tu nuevo cliente? —preguntó Dino con una sonrisa burlona.

—Cállate.

—¿Por qué tengo que callarme? —preguntó Herbie.

—No tú, Herbie. ¿Encontraste la citación?

—Bueno, sí, pero me pediste que me callara.

—Herbie, se lo dije a otra persona. Estoy en un restaurante, cenando con amigos. O, al menos, eso hacía cuando llamaste.

—Sí, aquí tengo la citación.

—¿Dice cuáles son los cargos?

—Veamos: conducir en estado de ebriedad, hacerlo con una licencia suspendida y… no vas a creer esto, Stone… resistirme con violencia al arresto.

—¿Y qué te hizo pensar que me costaría creerlo, Herbie?

—Tú me conoces, Stone. Yo no soy una persona violenta.

—¿Qué le hiciste al policía, Herbie?

—Tengo un recuerdo un poco borroso de lo sucedido. Había tomado un par de cervezas.

—¿El policía te hizo una prueba de alcoholemia?

—Sí.

—¿Cuál fue el resultado?

—Dos punto cero.

—¡Por Dios, Herbie, eso es más del doble del límite permitido! ¿Podías caminar?

—Como te dije, no recuerdo bien lo que pasó.

—¿Por qué te suspendieron la licencia de conducir, Herbie?

—Supongo que fue por la otra vez que me hicieron una boleta por conducir en estado de ebriedad…

—¿Tenías una infracción igual *anterior*? ¿Cuándo fue esto?

—No lo sé, hacen dos o tres semanas.

—¿De modo que fueron dos en menos de un mes?

—Supongo que sí.

—¿Qué pena te aplicó el juez por la primera?

—Servicios comunitarios y asistencia a un curso especial para esa clase de infractores.

—¿Y cumpliste con los servicios comunitarios?

—No todavía. He estado bastante ocupado.

—¿Asististe al curso?

—No a su totalidad.

—¿Cuántas veces fuiste?

—Bueno, una vez.

—Son tres clases, ¿verdad?

—Sí.

—¿Y sólo fuiste a una?

—Stone, no tienes idea de lo aburridas que son esas clases.

—Herbie, no tienes idea de lo aburrida que es la vida en una celda de Rikers Island.

—Pero tú no permitirás que eso suceda, ¿verdad? Lance dijo que lo solucionarías todo.

—Herbie, volvamos a la acusación de que te resististe con violencia al arresto. ¿Qué le hiciste al policía?

—Bueno, discutimos un poco.

—Eso no es violencia. ¿Qué le hiciste?

—No lo recuerdo con exactitud. Puede que lo haya pateado.

—Dios. ¿Dónde lo pateaste?

—Quizás en la entrepierna.

Stone gimió.

—Tengo que terminar la cena, Herbie. Llámame por la mañana.

—Por la mañana tengo que estar en el juzgado.

—¿Quieres decir que existe otro cargo?

—No, es el mismo.

—¿Y tienes que presentarte en el juzgado *mañana por la mañana*?

—Sí.

—¿A qué hora?

—A las diez.

—Maravilloso, Herbie. Me reuniré contigo a las nueve y media en el hall del Palacio de Justicia, junto a las puertas de los juzgados, y más vale que estés allí, sobrio y prolijamente vestido.

—Está bien, allí estaré —dijo Herbie con tono compungido.

Stone cortó la comunicación.

—¿Adónde pateó Herbie al policía? —preguntó Dino.

—En la entrepierna.

Dino y Holly estallaron en carcajadas.

9

Stone llegó al Palacio de Justicia a las ocho de la mañana y subió al lugar atestado de compartimentos donde se encontraban los asistentes del fiscal de distrito.

—Hola, María —le dijo a la cincuentona ítalo-norteamericana que tenía a su cargo el mostrador de recepción—. Hoy estás preciosa.

—Qué mentiroso que eres, Stone —le replicó la mujer con dulzura—. ¿Qué te trae por aquí? No te veía desde la fiesta de Navidad —dijo ella mientras movía las cejas intencionadamente.

Stone pasó por alto la referencia a la fiesta de Navidad.

—Un cliente mío tiene que comparecer esta mañana. ¿Podrías decirme quién entiende en su causa?

—¿Cómo se llama tu cliente?

—Herbert Fisher.

María rió por lo bajo.

—Ah, él.

—¿Cómo debo interpretar eso?

—Es el tipo que pateó al policía en la entrepierna, ¿no?

—Eso es lo que se alega —respondió Stone—. ¿Quién es el asistente del fiscal de distrito en este caso?

—Dierdre Monahan.

Stone hizo una mueca.

—Sí —dijo María y volvió a reír entre dientes.

—¿Qué significa esa risa?

—Bueno, hubo rumores...

—No creas nunca en los rumores —dijo Stone—. ¿Dierdre está en el mismo box?

—¿La consideras una yegua?

—Quise decir compartimento.

—No, ha ascendido un poco. Ahora tiene una oficina, pero sin ventanas. —Movió el pulgar.— Por allí, al fondo.

—Gracias, María. —Stone rodeó el mostrador y echó a andar por el pasillo, sintiéndose un poco nervioso. En la fiesta de la última Navidad que se ofreció en tribunales él y Dierdre habían bebido demasiado y vivido una fugaz aventura. Esto había ocurrido sobre la mesa de la sala de reuniones del asistente en jefe del fiscal de distrito, y no se cuidaron de cerrar la puerta. Él no había vuelto a verla desde aquella ocasión. Llamó a la puerta de vidrio.

—Adelante, ¡y más vale que sea importante! —gritó ella.

Stone entreabrió la puerta y asomó la cabeza en el despacho.

—Buenos días, Dierdre, ¿tienes un minuto?

Dierdre era una atractiva mujer de algo más de 30 años que descendía de una larga línea de policías irlandeses y tenía cuatro hermanos que en ese momento llevaban el uniforme.

—Vaya, vaya —dijo ella sardónicamente—. Y yo que te hacía muerto y enterrado. —Abandonó el acento irlandés.— Entra y toma asiento, Stone.

Stone lo hizo.

—¿Cómo has estado, Dierdre?

—¿Quieres decir desde la última Navidad? Podrías haberme llamado por teléfono para averiguarlo.

Stone sintió que las orejas le quemaban.

—Ha sido un año caótico —dijo con un hilo de voz.

—Te estás poniendo colorado, Stone. No me digas que el recuerdo del rato que pasamos juntos te hace sentir incómodo.

—Bueno...

—¿Sólo porque el asistente en jefe del fiscal entró y nos pescó? ¿Por qué habría una cosa así de molestarte?

—Bueno...

—Yo he tenido que soportar aquí las burlas. Las cosas se pusieron tan difíciles que logré transformarlo en una denuncia de acoso sexual que, entre otras cosas, me permitió conseguir esta oficina.

—Me alegra que hayas podido dar vuelta la situación en tu beneficio —dijo Stone, esforzándose por parecer sincero.

—Me alegra que te alegres, Stone. ¿Qué puedo hacer por ti?

—Un cliente mío tiene que comparecer esta mañana a las diez —dijo Stone, agradecido por el cambio de tema—. María me dijo que tú tienes el caso.

—¿Nombre?

—Fisher.

Dierdre rió entre dientes.

—¡Ah, el señor Fisher! ¡Qué armonía perfecta entre cliente y abogado! Y supongo que has venido a proponerme un trato...

—Bueno, esta clase de cosas representa una pérdida de tiempo del juzgado, para no mencionar el tuyo. Y, puesto que el señor Fisher está arrepentido y no es probable que repita su...

—El señor Fisher ya ha repetido su falta —dijo Dierdre—. Por eso yo tomé su caso en lugar de uno de los novatos.

—Sí, lo sé, pero...

—Y el policía en cuestión, la víctima del señor Fisher, tuvo que faltar dos días al servicio debido a la lesión que sufrió.

—El señor Fisher lo lamenta profundamente. En ese momento estaba *muy* borracho y...

—Que es la razón por la que lo detuvieron en primer lugar —replicó Dierdre. Consultó un expediente—. El resultado de la prueba que le hicieron fue de dos punto cero en la escala de Richter —dijo—. Al juez Goldstein le va a encantar esto.

—¿El juez Goldstein es el que entiende en esta causa? —preguntó Stone y sintió que se le caía el alma a los pies. Unos años antes, la esposa de Goldstein había resultado herida en una colisión con un conductor borracho, y se sabía que sus fallos eran lapidarios cuando se trataba de casos de personas que conducían un vehículo en estado de ebriedad.

—¿No es una suerte? —dijo Dierdre—. ¿En qué clase de trato estabas pensando, Stone?

—Pensé en una disculpa escrita dirigida al policía y en servicios comunitarios —respondió Stone, esperanzado. Era sólo una táctica de apertura.

—Te diré qué haremos. Si él se declara culpable, yo no pediré para él la pena de muerte.

—Vamos, vamos.

—Me alegra que esto te parezca divertido. A mí me ocurre lo mismo.

—Vamos, Dierdre, ¡ten un poco de piedad de mí, por favor!

—Al pobre policía no le tuvieron mucha piedad que digamos, ¿no te parece? Allí estaba él, cumpliendo con su deber y protegiendo al público de un conductor demasiado borracho como para pararse derecho...

—Está bien, suficiente —dijo Stone y levantó las manos en señal de rendición—. ¿Qué puedes hacer tú por mí, Dierdre?

—¿Qué te parecerían de tres a cinco años en Attica? —propuso ella.

—Dierdre, por favor. Seamos realistas; no murió nadie.

—¿Alguna vez te han pateado en la entrepierna, Stone?

—Una vez, hace mucho, mucho tiempo.

—Me alegra que hayas tenido esa experiencia. Pensaba aplicártela yo misma para que sintieras en carne propia el dolor que se siente. ¿Fue divertido?

—No, me dolió muchísimo.

—Qué curioso, eso fue justo lo que dijo el policía. Hoy aparecerá en el juzgado caminando con bastón.

—¿Por qué no le evitamos esa comparencia en el juzgado, Dierdre? Hazme un ofrecimiento que yo pueda llevarle a mi cliente.

—Seis meses y sin licencia por cinco años.

—Dierdre...

—Tiene suerte de que no le saquen la licencia de por vida.

—Dierdre...

—Hazle la propuesta que te parezca un castigo apropiado, Stone, que tome en cuenta todos los hechos.

—Él no merece ir a la cárcel, Dierdre.

—¿Ah, no?

—Deja que te explique una cosa más: he sido contratado por una rama del gobierno federal que no puedo mencionar. Él estaba a su servicio en el momento en que fue arrestado.

Dierdre se llevó una mano al pecho.

—Oh, Dios, ¿me estás diciendo que se emborrachó y se puso violento para la CIA? Debo reconocer que es la primera vez que oigo una cosa así. Como excusa está a la altura del que alegó que su perro se comió la licencia de conducir.

—Shhhh —dijo Stone y le hizo señas de que se callara—. Yo no dije nada de eso y tú no debes repetirlo.

—¿Ésa es tu manera de decirme que *realmente* él estaba trabajando para la CIA?

—Yo no puedo decir nada semejante —dijo Stone con voz plañidera—. Por favor, créemelo.

—Está bien, Stone —dijo ella—. Puesto que se trata de ti, y eres un buen compañero de aventuras cuando nadie mira, ésta es mi mejor oferta: 30 días en Rikers, una multa de 1000 dólares y su licencia de conducir en el cajón de mi escritorio durante tres años.

Stone se desalentó. A Herbie no le iba a gustar nada.

—Le llevaré tu oferta a mi cliente —dijo.

—No parezcas tan deprimido, Stone. Hiciste un excelente trabajo para ese individuo, considerando los hechos.

Stone no preguntó a qué hechos se refería. Se despidió de ella y se fue.

—¡No te portes como un desconocido! —le gritó Dierdre por el pasillo.

—Gracias, María —dijo Stone al pasar por el mostrador.

—¿Te mencioné que el policía en cuestión era Colin, el hermanito menor de Dierdre? —preguntó María.

—No, María, no me lo mencionaste —Stone transpuso la puerta lo más rápido que pudo.

10

S tone bajó al pasillo exterior de la sala del juzgado y lo sorprendió un poco encontrar allí a Herbie Fisher, de traje azul y corbata, esperándolo y, además, en el horario previsto.

—Hola, Stone —dijo Herbie—. ¿Cómo va todo?

—Para ti, no muy bien —respondió Stone—. Estás en graves problemas.

—Stone, sólo se trató de conducir en estado de ebriedad, nada más.

—Pero era la *segunda vez* que lo hacías, y ni siquiera te molestaste en cumplir la sentencia por la primera, que fue hace menos de un mes.

—Bueno, qué demonios…

—Te diré algunas otras cosas que deberías saber —dijo Stone—. El policía que recibió tu patada en la entrepierna era el hermano menor de la asistente del fiscal, que es la encargada de procesarte, y la esposa del juez que entiende en tu causa fue embestida por un conductor borracho y terminó en el hospital. Así que a él le encanta cebarse con los que cometen esa clase de delitos.

Herbie pareció palidecer un poco.

—¿No podemos conseguir que la asistente del fiscal y el juez se excusen o como sea que se dice? Quiero decir, es evidente que los dos estarán predispuestos en contra de mí.

—El término es "recusar". Pero eso no sucederá porque ya te he conseguido el mejor trato posible.

Herbie respiró, aliviado.

—Sabía que lo harías, Stone. Lance me aseguró que encontrarías una solución.

—El trato es que permanecerás 30 días en la cárcel, pagarás una multa de 1000 dólares y perderás tu licencia de conducir por tres años.

—¡QUÉ! —gritó Herbie—. No pienso ir a la cárcel por una cosa así y te juro que no dejaré de conducir un automóvil. ¡Acabo de comprarme uno nuevo!

—Tienes suerte de que no te lo requisen —dijo Stone—. Cuando Giuliani era alcalde acostumbraba a hacerlo: la primera vez que alguien conducía en estado de ebriedad, se llevaban su automóvil.

—Stone, Lance me prometió que...

—Entonces habla con Lance.

—No puedo hacer eso.

—¿Por qué no?

—Bueno, en primer lugar, porque es muy difícil localizarlo. Él fue el que siempre me llamó.

—Qué lástima, Herbie. Te metiste en un lío, así que ahora recuéstate y disfrútalo.

Herbie comenzó a sacudir la cabeza con vehemencia.

—Iré a juicio —dijo—. Y con el jurado conseguiré algo mejor que ese trato que me propusiste.

—¿Te has vuelto loco?

—Yo sé cómo hablarle a un jurado —dijo Herbie—. Ellos me creerán.

—¿De modo que tu idea de manejar esto es cometer perjurio?

—Absolutamente no. Diré la verdad.

—¿Le dirás al jurado que es la segunda vez que te multan por conducir en estado de ebriedad, con un nivel de alcohol en sangre del doble del permitido por la ley, y que pateaste a un policía en la entrepierna? ¿Quieres terminar en Sing Sing?

Herbie seguía sacudiendo la cabeza.

—Lance dijo que tú me solucionarías todo.

—¿Qué quieres que haga? ¿Que soborne al juez?

La cara de Herbie se iluminó.

—¿Cuánto costaría eso?

Stone arrastró a Herbie a un banco y los dos tomaron asiento.

—Escúchame bien —le dijo—. Te has comportado estúpidamente al conducir borracho dos veces seguidas. Lesionaste a un policía joven que es el hermano de la asistente del fiscal encargada de enjuiciarte y el juez tiene una sensibilidad especial con respecto a los que manejan alcoholizados. ¿A cuánto crees que suma eso?

—Está bien. Pagaré la multa y me resignaré a perder la licencia por tres años, pero no iré a la cárcel. Soy demasiado lindo para estar preso. Me violarán el primer día.

—En primer lugar, no eres tan apuesto. Segundo, deberías sentirte más que afortunado por el hecho de que sólo te exijan estar preso 30 días. El primer ofrecimiento de la asistente del fiscal fue de seis meses y, si fueras a juicio, lo más probable es que te den un año. ¿No entiendes que metiste la pata en grande y que tendrás que responsabilizarte por tus actos?

Herbie se puso de pie.

—No tengo problema en responsabilizarme. Pero me niego a estar preso, eso es todo.

—Herbie, *ésa* es la manera de *asumir* tus responsabilidades.

—Stone, ¿sabes cómo puedo hacer para comunicarme con Lance?

—Lance no puede ayudarte en esto, Herbie; sólo tú puedes hacerlo. Puedes ayudarte portándote como un verdadero hombre y aceptando tu castigo.

—Soy un verdadero hombre —protestó Herbie, casi con un gemido.

—Herbie, ¿sabes quién es Lance? ¿Sabes para quién trabaja?

Herbie miró disimuladamente en todas direcciones.

—Bueno, tengo mis sospechas. Pertenece a la mafia, ¿no?

—Peor que eso, Herbie.

—¿Qué es peor que la mafia? ¿La mafia rusa?

—Peor.

—No se me ocurre nada peor que la mafia rusa.

—Herbie, piensa en el trabajo para el que Lance te contrató.

—¿Te refieres a fotografiar a ese embajador con su amiguito?

—Yo no quiero conocer los detalles, Herbie —dijo Stone, y levantó defensivamente las manos—. Pero piénsalo un minuto. ¿Quién querría esa clase de trabajo?

Herbie lo pensó.

—No me irás a decir que…

—Adelante, Herbie. Dilo.

Herbie se pasó la lengua por los labios y tragó fuerte.

—¿The National Enquirer?

Stone se tapó la cara con las manos.

—Herbie, Lance trabaja para una rama del gobierno federal, una rama que hace trabajos sucios como fotografiar a embajadores con sus amiguitos. ¿No se te ocurre a quién me refiero?

—No estarás hablando de la CIA, ¿verdad?

—Felicitaciones, Herbie. Estás saliendo de tu nube.

Curiosamente, Herbie pareció complacido.

—¿Quiere decir que yo estoy trabajando para la CIA?

—Ya no.

—Caramba, eso debería beneficiarme.

—Todo lo contrario —dijo Stone.

—¿Qué quieres decir?

—Lance me confió que, si tu caso iba a juicio, su gente podría emplear otros métodos para impedirlo.

—¿Por ejemplo sobornar al juez?

—No, Herbie.

—Bueno, cualquiera que quiere tener la fotografía de un embajador con la cabeza enterrada en la entrepierna de otro tipo, no tendría problemas en sobornar a un juez, ¿no te parece?

—Herbie, no estás usando tu forma lógica de pensar. Ésas son personas que tienen armas con silenciadores, si entiendes lo que quiero decir.

—¿Quieres decir que podrían dispararle al juez? —la sola idea no le resultó nada desagradable.

Stone sacudió la cabeza.

—No, Herbie. Les resultaría mucho más sencillo dispararte a ti, ¿no te parece?

Herbie quedó paralizado de terror.

Stone tuvo la sensación de que finalmente Herbie había entendido.

—Por supuesto, lo más probable es que lo harían parecer un accidente o un suicidio.

Ahora ya Herbie había perdido el habla.

—¿Entiendes cómo es esto, Herbie? Mira, veré qué puedo hacer para que las cosas te resulten más fáciles en la cárcel.

—¿Cómo puedes hacerlo? —preguntó Herbie.

—En la cárcel se puede comprar casi todo. Herbie. ¿Tienes algún dinero?

Herbie negó con la cabeza.

—Mis tarjetas de crédito están al tope.

—Herbie, en Rikers no aceptan Mastercard.

—Bueno, por cierto que no tengo efectivo.

—Tal vez consiga sacarle algún dinero a Lance —dijo Stone y enseguida pensó que el adelanto que había recibido comenzaba a disminuir.

—¿Realmente piensas que esto es lo que más me conviene, Stone? Quiero decir, como mi abogado y mi amigo, ¿te parece lo mejor?

—Herbie, es *la única* salida, confía en mí.

—Yo confío en ti, Stone.

—Gracias, Herbie.

—Es sólo que no quiero ir a la cárcel.

—Lo mejor que puedes hacer ahora es tratar de no hacer nunca más algo que puede enviarte a prisión. Ahora ven, es hora de que comparezcamos ante el juez. —Stone tomó a Herbie de la muñeca, lo hizo levantarse del banco y lo arrastró hacia la sala del juzgado.

—¿Estás *seguro* de que no podemos sobornar al juez? —preguntó Herbie.

—Cállate, Herbie —respondió Stone.

11

S tone condujo a Herbie a la sala del juzgado sujetándolo firmemente por la muñeca para que no pudiera echar a correr. Su cliente se había mostrado más que reacio a comparecer. Stone sentó a Herbie en una silla y tomó asiento junto a él.

Herbie se puso de pie.

—Tengo que ir al baño.

Stone lo aferró del chaqueta y lo obligó a sentarse nuevamente.

—Siéntate, Herbie —dijo—. No irás a ninguna parte hasta que terminemos aquí.

—Pero es que tengo que ir.

—Deberías haber ido cuando tuviste oportunidad de hacerlo. ¿Acaso tendré que esposarte?

Herbie clavó la mirada en sus propios pies.

—Yo no traje nada que pudiera necesitar en la cárcel: cepillo de dientes ni nada. Estaba convencido de que tú me solucionarías todo.

—En Rikers hay una pequeña tienda donde puedes comprar lo que necesites. Ellos te permitirán llevar encima veinte dólares.

—Y, además, vine con mi mejor traje.

—Te lo guardarán, Herbie, y te proporcionarán la ropa que necesites. Es un servicio gratis para los huéspedes.

—¡Todos de pie! —gritó el alguacil y los presentes en la sala se pusieron de pie.

Stone miró hacia la izquierda y vio a cuatro uniformados sentados en la primera fila, directamente detrás de la mesa frente a la cual estaba Dierdre Monahan. Stone codeó a Herbie.

—Esos son los cuatro hermanos de la asistente del fiscal —dijo.

—¿Cuáles?

—Los que están de uniforme de policía. El más joven lleva bastón. Tú lo hiciste salir de servicio durante dos días.

—Son tipos corpulentos —susurró Herbie.

—Sí, muy corpulentos.

El juez abandonó su despacho y se dirigió al estrado. Para sorpresa de Stone, Lance Cabot salió casi inmediatamente de la misma puerta y se instaló en el otro extremo de la sala. No miró a Stone. ¿Qué demonios estaba pasando?

El juez golpeó con su mazo.

—¡Orden en la sala! ¡La corte entra en sesión! —giró hacia Dierdre—. Doctora Monahan, acérquese al estrado.

Dierdre se puso de pie y lo hizo. Se produjo una breve conversación, en la cual el juez fue el que más habló.

Dierdre regresó a su asiento y se tomó tiempo para fulminar a Stone en el camino.

—¿Por qué está tan enojada contigo? —preguntó Herbie.

—No lo sé, pero creo que estamos a punto de averiguarlo.

—Si está enojada contigo, ¿eso significa más tiempo de cárcel?

—Herbie, ella no podría estar más enojada conmigo ahora de lo que estuvo hace una hora, créeme. Mira, esto llevará un tiempo. Nuestro caso está previsto para dentro de un buen rato, y no quiero oír de nuevo que tienes que ir al baño.

El alguacil miró su tablilla.

—El pueblo contra Herbert J. Fisher —gritó.

—Demonios —dijo Stone en voz muy baja.

—¿Qué sucede? ¿Esto significa que salimos de aquí antes? —preguntó Herbie.

—Herbie, trata de meterte esto en la cabeza —dijo Stone mientras arrastraba a Herbie hacia la puerta de la barandilla que separaba a los abogados del resto de los asistentes a la sala—. Tú no saldrás de aquí, a menos que sea en un automóvil de la policía. ¿Entendido?

El juez observó a Stone arrastrar a Herbie a través de la puerta de la barandilla, y su mirada fue tan feroz que podría haber derretido hielo. Bajó la vista y miró sus papeles.

—Señor Fisher, se lo acusa de conducir un automóvil con una licencia suspendida y en estado de ebriedad, y resistir luego el arresto con violencia. ¿Cómo se declara?

—Bueno, Su Señoría… —comenzó a decir Herbie.

Stone se inclinó hacia él.

—Di culpable y nada más.

—Culpable y nada más —le dijo Herbie al juez en voz bien alta.

Stone hizo una mueca.

—Doctor Barrington, ¿tiene usted alguna objeción a que se dicte sentencia en este momento?

—Ninguna, Su Señoría —respondió Stone.

—Doctora Monahan —dijo el juez—, ¿tiene usted una recomendación para la sentencia?

Dierdre se puso de pie.

—Sí, Su Señoría. La fiscalía recomienda suspenderle al señor Fisher su licencia de conducir por cinco años, más doce meses de cárcel y una multa de 10.000 dólares.

—¿QUÉ? —gritó Herbie.

—Cierra la boca —dijo Stone. Algo espantoso había pasado.

—Me parece bien —dijo el juez—. Señor Fisher, se lo sentencia a una suspensión de cinco años de su licencia para conducir, a una multa de 10.000 dólares y a doce meses de prisión.

Herbie comenzó a llorar.

El juez bajó la vista y dijo, en voz lo suficientemente baja para que el resto de la sala no pudiera oírlo:

—La sentencia queda en suspenso con la condición de que el acusado demuestre buena conducta.

Los cuatro policías que estaban sentados detrás de Dierdre se pusieron inmediatamente de pie y protestaron a viva voz, mientras Dierdre trataba de calmarlos.

—Páguenle al secretario —dijo el juez y golpeó con su mazo—. ¡Siguiente caso!

Stone tomó a Herbie del brazo y lo arrastró por el pasillo de la sala, confiando en sacarlo de allí antes de que los hermanos Monahan se reagruparan y corrieran tras Herbie.

Lance se puso de pie y se reunió con ellos en el fondo de la sala.

—Salgamos de aquí —dijo, y pasaron al corredor.

—¡Me dijiste que todo se solucionaría! —aulló Herbie.

Stone lo tomó de las solapas y lo sacudió.

—Y lo hice. ¿No oíste lo que dijo el juez?

—¡Dijo un año!

—También dijo que la sentencia quedaba en suspenso.

Herbie se secó una lágrima.

—¿Ah, sí?

—Sí —dijo Lance. Sacó un sobre de un bolsillo interior de la chaqueta y se lo entregó a Stone—. Págale la fianza y saqué-moslo de aquí. Adelante, te esperaremos aquí.

Stone regresó a la sala del juzgado, buscó al secretario y le pagó la fianza de Herbie con los 10.000 dólares en efectivo que había en el sobre de Lance. Le dieron un recibo y él volvió a reunirse con Herbie y Lance en el pasillo.

Lance los condujo al exterior del edificio de tribunales y los tres se detuvieron debajo de la escalinata.

—Herbie —dijo Stone—, ¿sabes qué quiere decir "en sus-penso"?

—Significa que soy un hombre libre, ¿no es así?

—No. Significa que eres un hombre libre hasta el segundo en que vuelvas a meterte en líos, o sea, hasta que cruces una calle en la mitad de una cuadra o pongas a demasiado volumen la radio de tu automóvil, o cualquier otra cosa. Si eso sucede, estarás preso un año en Rikers. ¿Entendido?

—Herbie no va a volver a meterse en problemas —dijo Lance mientras miraba fijo a Herbie—. ¿Recuerdas tu breve es-tadía en las Islas Vírgenes el año pasado, Herbie?

—Sí, claro —respondió Herbie.

—¿Te gustó ese lugar?

—Sí, fue fantástico. Y tenía el magnífico negocio de tomar fotos en los hoteles.

Lance sacó un sobre del bolsillo de su chaqueta y se lo dio a Herbie.

—Me alegra que te gustara, Herbie, porque vas a volver allá. Aquí tienes el pasaje.

—¿En serio?

—Tu vuelo despega esta tarde, a las seis y veinte. Un hombre te recogerá en tu casa a las cuatro en punto. Tienes hasta entonces para vender tu automóvil y hacer las maletas.

—¿Tengo que vender mi auto? —se quejó Herbie—. ¡Pe-ro si acabo de comprarlo! —dijo y señaló un Mustang flamante estacionado a diez metros de donde estaban. En el parabrisas tenía tres boletas de contravención por estacionar en un lugar prohibido.

—Me temo que no hay ningún ferry que transporte autos a las Islas Vírgenes —dijo Lance—. Y puesto que durante cinco años no podrás manejar ese automóvil ni ningún otro, no lo necesitarás. A propósito, en el sobre hay un *voucher* para dos semanas en un pequeño hotel de Charlotte Amalie y el transporte desde el aeropuerto. También hay 2000 dólares en efectivo, para ayudarte a pararte sobre tus propios pies.

—Herbie —dijo Stone—, si llegas a meterte en el menor problema en Charlotte Amalie, tus condenas previas y actuales aparecerán en la computadora de la policía y cuando menos lo pienses te encontrarás de vuelta aquí, pero en Rikers. ¿Me has entendido?

Pero Herbie no lo escuchaba.

—¡Eh! —gritó y señaló su automóvil. Un camión grúa había estacionado delante del vehículo. Herbie corrió hacia el auto, se zambulló adentro, encendió el motor y se alejó de allí a toda velocidad, mientras las boletas de contravención volaban por el aire.

—No puedo creer que se vaya conduciendo a su casa —dijo Lance.

—Yo no habría esperado otra cosa —dijo Stone—. Lance, ¿qué le dijiste al juez Goldstein?

Lance se encogió de hombros.

—Digamos solamente que el juez es un patriota. Fue muy agradable volver a hacer negocios contigo, Stone.

—Por favor, Lance, que sea la última vez.

—Eso lo veremos —contestó Lance y se dirigió a un Lincoln negro estacionado allí cerca, con el motor en marcha. Lance abrió la portezuela y se detuvo un momento—. ¿Cenamos juntos esta noche? —No aguardó una respuesta.— En Elaine's, a las ocho y media —dijo, subió al automóvil y el vehículo se alejó.

Stone vio que tenía chapa diplomática. Él también quería tener una así.

12

Stone llegó a su casa alrededor del mediodía y se dirigió a su oficina.

—¿Dónde está Holly? —le preguntó a Joan.

—Bueno, ella se llevó prestado tu automóvil y se fue a alguna parte.

Stone parpadeó.

—¿Se llevó prestado mi auto?

—Dijo que le habías dicho que podía hacerlo, así que le di el juego adicional de llaves.

—¿Tienes idea de adónde fue?

—No, ninguna.

Stone entró en su oficina y firmó algunas cartas, luego levantó el auricular y marcó el número del teléfono de su automóvil. Llamó varias veces antes de que ella contestara.

—Hola.

—Holly, soy Stone. ¿Dónde estás?

—Sentada frente al café La Boheme, en Little Italy.

—No te propondrás llenar mi auto de balas, ¿no?

—Un folleto que encontré en la guantera dice que está blindado.

—Bueno, sí, más o menos, pero confieso que jamás probé su blindaje. Preferiría que me lo devolvieras en el mismo estado en que te lo llevaste.

—Sí, claro, eso trataré.

—¿Exactamente cuándo te dije que podías llevarte mi auto?

—Durante la cena. ¿No lo recuerdas?

Él no lo recordaba.

—Entonces será así. ¿Cuándo vuelves a casa?

—Dentro de un par de horas, si es que Trini no se presenta. Si él no viene a almorzar a este lugar, lo dejaré para más tarde. ¿Esta noche puedo convidarte yo la cena?

—No, pero un tipo de la CIA nos convidará a los dos la cena en Elaine's.

—¿La CIA? ¿Bromeas?

—Me temo que no.

—Yo jamás conocí a nadie de la CIA. Esto sí que va a ser interesante.

—Espero que no. Acabo de pasar una mañana demasiado interesante en el juzgado por culpa de él. Aprendí que no se debe desear nada interesante cuando la CIA está involucrada.

—¡Demonios! —gritó Holly.

Stone oyó que el motor de su automóvil se encendía.

—¿Qué sucede, Holly?

—¡Es Trini! ¡En este momento sale de La Boheme y sube a su Cadillac!

—Holly, por favor, no inicies ahora una cacería en auto por el centro de Manhattan. No es como Orchid Beach —oyó que aceleraba.

—Creo que no me vio —dijo ella.

—Holly, no se te ocurra cortar la comunicación.

Pero ella lo hizo.

Stone se quedó sosteniendo un teléfono mudo. Cortó y llamó a Joan por el intercomunicador.

—¿Sí?

—Joan, llama a mi agente de seguros y confirma que mi auto esté asegurado con cualquier conductor. Si no es así, añade a Holly Baker como conductora asegurada, y apresúrate.

—Lo haré enseguida.

Stone trató de pensar qué podía hacer y llegó a una conclusión rápida: absolutamente nada. Esa policía pueblerina estaba suelta en Manhattan con su automóvil de 70.000 dólares, y en plena cacería tras un asesino protegido por el FBI. Volvió a llamar a Joan.

—¿Sí, Stone?

—¿Te comunicaste con la compañía de seguros?

—Los tengo en línea en este momento.

—Procura que ese seguro tenga vigencia desde este mismo minuto.

Cuando Holly regresó a la casa de Stone eran más de las cinco de la tarde.

—¡Hola! —dijo ella en dirección a la escalera.

—Sube —le contestó Stone.

Mientras se quitaba la chaqueta, Holly entró en el dormitorio de Stone. Daisy la siguió y luego saltó a la cama con Stone, que había estado leyendo el *Times*.

—Hola, Daisy —dijo Stone, casi esperando una respuesta. La perra le dio un gran beso, se echó y se acurrucó junto a él.

—Le caes muy bien —dijo Holly.

—Me alivia saberlo. —Para sorpresa de Stone, ella empezó a desabotonarse la ropa.

—¿Te importa si uso tu ducha? —preguntó Holly mientras seguía desvistiéndose—. Arriba el agua tiene muy poca presión.

—Por supuesto, adelante —contestó Stone—. En Nueva York tenemos tanques de agua en el techo, y a veces los pisos superiores de las casas no tienen demasiada presión. —Mientras ella seguía desvistiéndose él recordó que no debía solucionar el problema de la presión del agua.

—¿Tanques de agua? ¡No puedes decirlo en serio!

—Puedes subir y comprobarlo por ti misma —dijo él—, pero no te recomiendo que vayas así. —Ella vestía sólo sostén y algo que se parecía a una tanga.— Tendrías a todos los vecinos colgando de las ventanas.

—Qué dulce que eres —dijo ella y le dedicó una gran sonrisa. Después se dio media vuelta y entró en el cuarto de baño, no sin antes desabrocharse el sostén mientras lucía la parte posterior de esa suerte de tanga y un atractivo trasero. Dejó la puerta abierta, pero él no alcanzaba a verla, aunque sí oyó que abría el grifo de la ducha.

—¿Cómo fue tu día? —le preguntó Holly desde el baño.

—Difícil —respondió él—. Fue una mañana bien extraña en el juzgado.

—Me lo contarás bien después —dijo ella.

Stone oyó que la puerta de la ducha se abría y luego se cerraba.

Cinco minutos después Holly salió, apenas cubierta por la bata de él, secándose el cabello con una toalla. Saltó sobre la cama y se acercó a Stone. Daisy estaba entre los dos.

—Bueno, ahora cuéntame lo de tu mañana en el juzgado.

—Yo tenía un cliente sumamente irritante, Herbie Fisher, con quien traté antes. Estaba acusado de...

—¿Es el que pateó al policía en la entrepierna?

—Sí, y el policía estaba allí con sus tres hermanos mayores. La hermana de ellos representaba a la fiscalía.

—Un frente único y poderoso, ¿no?

—Podría decirse que sí.

—¿Cuántos años le dieron?

—Doce meses, pero en suspenso, una fianza de 10.000 dólares y la pérdida de su licencia para conducir por cinco años, lo cual es una bendición para la comunidad.

—¿Una sentencia en suspenso? ¿No era la segunda vez que lo culpaban por conducir en estado de ebriedad?

—Así es.

—En Florida somos más estrictos. Tú debes de ser un abogado excelente.

—Yo no eché mano de ninguna triquiñuela legal esta mañana. El hombre de la CIA hizo un arreglo con el juez.

Holly levantó la cabeza de la almohada.

—No puedes decirlo en serio.

—Lo digo muy en serio. Ahora Herbie está en un avión con destino a Saint Thomas, y el mundo es un lugar mejor, excepto, claro, en Saint Thomas.

—¿Cómo hizo para sobornar al juez? ¿Fue con dinero?

Stone negó con la cabeza.

—No creo que el juez Goldstein aceptaría un soborno. Lance dijo que el juez era un patriota.

—¿Lance es el tipo de la CIA?

—Correcto.

—¿De modo que habrá dicho algo para sacar a la superficie el patriotismo del juez?

—Eso parece.

—¿Qué fue lo que le dijo?

—No quiero saberlo. A propósito, ¿te mencioné que cenaríamos con Lance?

—Sí. ¿Por qué?

—Lo ignoro —reconoció Stone—. Preferiría no volver a verlo.

Holly le estampó un beso en la mejilla.

—No te preocupes. Yo te protegeré de ese hombre malo de la CIA.

—No sé si es malo. Solía pensarlo, pero ahora no estoy tan seguro. —Le gustó ese beso. Deseó rodearla con el brazo, pero Daisy lo miraba fijo.

—Daisy —dijo Holly—, bájate de la cama y échate.

Daisy enseguida se bajó de un salto y se echó junto a la cama.

—Duérmete —le ordenó Holly.

Daisy apoyó la cabeza entre las patas y cerró los ojos.

—¿Realmente está dormida? —preguntó Stone.

—Lo suficiente —respondió Holly. Giró la cabeza de Stone hacia ella y lo besó en la boca.

13

Stone despertó con tortícolis como resultado de dormir casi toda la tarde con la cabeza de Holly sobre su hombro. Era todo lo que habían hecho, dormir una siesta, y eso no lo hacía demasiado feliz, pero, de alguna manera, no le pareció que fuera el momento adecuado para avanzar más en esa relación.

El sonido del secador de cabello brotaba del cuarto de baño. De pronto cesó y Holly emergió, totalmente desnuda, .con su ropa interior en la mano.

—Daisy y yo saldremos a caminar un buen rato —dijo—. Estaré de vuelta a tiempo para la cena.

—Ponte algo encima —le dijo él cuando Holly se iba, mientras apreciaba el espectáculo de su cuerpo—. No quiero que te arresten.

Ella se echó a reír y enfiló hacia el piso de arriba.

Stone se levantó, todavía un poco mareado y fue a ducharse. Se sintió más animado. En ese momento sonó el teléfono.

—Hola.

—Soy Dino. ¿Cenamos juntos?

—Por supuesto. Nos encontraremos en Elaine's. Lance Cabot también será de la partida.

—¿En serio? ¿El tipo de la CIA?

—El mismo.

—¿Cómo fue lo de Herbie en el juzgado?

—Si te lo dijera no lo creerías.

—Dímelo de todos modos.

Stone lo hizo.

—No puedo creerlo.

—¿Has visto?

—¿Goldstein hizo eso? Yo creí que era la severidad en persona.

—Lance dice que es un patriota.

—Tiene suerte de que Goldstein no lo haya hecho arrestar enseguida. Yo no querría apostar nada con ese tipo, en especial con respecto a una acusación de conducir en estado de ebriedad.

—Un hecho que incluyó violencia contra la entrepierna de un agente de policía. Sucede que el policía en cuestión es el hermano menor de Dierdre Monahan, y ella estaba encargada de la acusación.

—Es una suerte que Lance se haya presentado.

—Herbie fue el afortunado. Yo había aceptado para él un trato de 30 días en Rikers y él salió con una sentencia en suspenso gracias a lo que Lance habló con Goldstein.

—Me lo imagino.

—Sí, claro. ¿A las ocho y media?

—Sí, hasta entonces —dijo Dino y cortó la comunicación.

Holly regresó y entró en la habitación, pero esta vez, para decepción de Stone, totalmente vestida.

—¿Hay algún parque por esta zona que no quede tan lejos como Central Park? —preguntó.

—Te aclaro que, en Manhattan, un parque es en general, el baldío donde alguna vez hubo un edificio. A propósito, ¿te hablé de la ley que obliga a llevar a los perros sujetos con una correa?

—No, pero lo supuse. No en el parque, claro.

—Sobre todo en el parque. La multa es de 100 dólares.

—Eso es una crueldad para con los perros.

—Y para con los dueños de los perros.

—¿Me lo estás diciendo en serio?

—Tampoco me creíste cuando te dije que debías recoger los excrementos de tu perro, ¿no? En Nueva York hacemos las cosas de manera diferente.

—Me llevará un tiempo acostumbrarme a eso.

—Daisy no parece tener problemas.

—Ella es muy adaptable, como yo.

—¿Tú eres adaptable?

—Por supuesto. ¿Has oído alguna queja de mis labios? ¿Alguna en absoluto?

—Sólo la de tener que recoger la caca de tu perra.

—Eso es acerca de Daisy, no de mí.

—Pero tú eres quien debe levantarla. Daisy sólo hace lo que le sale naturalmente.

—Está bien. ¿Has oído alguna queja de mis labios, salvo acerca de eso de Daisy?

—Hasta ahora, no.

—Lo dices como si esperaras quejas.

—Espero que no.

Ella se le acercó, lo aferró por la parte delantera de su bata y lo besó.

—No te preocupes —dijo ella y bajó por la escalera, seguida de cerca por Daisy.

Tomaron un taxi para ir a Elaine's. Cuando se acercaban al restaurante, Stone advirtió la presencia de un hombre de pie en el frente del local, debajo de la marquesina amarilla, con un maletín en la mano. De alguna manera, parecía fuera de lugar allí.

—Chofer, deténgase aquí —dijo. El taxi frenó y Stone observó al hombre con atención. Desplazaba el peso del cuerpo de un pie al otro y cambiaba de mano el maletín. Stone vio entonces un Cadillac estacionado en doble fila justo en la entrada del restaurante.

—Son 7,50 —dijo el taxista.

—Dé una vuelta manzana —le dijo Stone.

—¿Qué?

—Vuelva a poner en funcionamiento el taxímetro y dé una vuelta manzana, lentamente, hacia su derecha.

—Como usted diga, señor —dijo el hombre y arrancó.

Stone sacó su teléfono celular.

—¿Qué pasa? ¿Estamos llegando demasiado temprano? —preguntó Holly—. ¿Tienes un problema con llegar temprano?

—Shhh —dijo Stone—. ¿Dino?

—Sí, voy en camino.

—Escucha, ¿recuerdas que hace algunos años vino al Departamento de Policía un tipo a ofrecernos armas?

—Vagamente —dijo Dino—. ¿Por qué lo mencionas?

—¿Recuerdas la Heckler & Koch que nos mostró, con la ametralladora H&K en el maletín? En un extremo del maletín había un agujero donde se apoyaba el cañón del arma, y los proyectiles estaban sujetos al fondo del maletín cuando el arma se disparaba. ¿Lo recuerdas?

—Sí, creo que sí.

—Bueno, hay un individuo sospechoso de pie junto al local de Elaine's que tiene en una mano un maletín que me pareció idéntico al de la H&K, y tiene un agujero en un costado.

—¿Dónde estás? —preguntó Dino.

—Dando una vuelta manzana muy lentamente —replicó Stone.

—Sigue haciéndolo hasta que tengas noticias mías —dijo Dino—. Yo me ocupo.

Stone cerró su teléfono celular.

—¿Qué está pasando? —preguntó Holly.

—Esta tarde me dijiste que habías estado siguiendo a Trini y que iba en un Cadillac.

—Así es —dijo ella y se llevó una mano a la boca—. Y había un Cadillac estacionado en doble fila frente a Elaine's. Y era negro, igual que el que yo estuve siguiendo.

—Sí. No te pregunté cómo terminó tu persecución.

—Lo perdí en Brooklyn. Bueno, creo que era Brooklyn. Lo seguí hasta el otro lado del puente.

—¿Existe alguna posibilidad de que ese Cadillac te hubiera seguido en tu camino de regreso a casa?

Holly se hundió en el asiento.

—Dios mío. Tenías razón. Nueva York no se parece nada a Orchid Beach.

14

El taxi dio otra vuelta manzana y cuando volvieron a doblar en la Segunda Avenida Stone le dijo al chofer que se detuviera en la esquina anterior a la del restaurante. Abrió la portezuela del vehículo y se bajó para poder ver mejor. Holly hizo lo mismo del otro lado.

El automóvil de Dino se encontraba estacionado en doble fila algunos metros delante de ellos, Stone advirtió un tumulto en la acera, frente a la entrada de Elaine's. Un hombre que Stone reconoció como el chofer policía de Dino apuntaba su arma hacia el Cadillac y ladraba órdenes.

—Holly, ¿traes mi Walther? —preguntó Stone.

—La tengo en el bolso —respondió ella.

—Vuelve a subir al taxi y pásame la pistola. —Se agachó, llevó el brazo hacia el asiento de atrás del vehículo y tomó el arma.

—Tiene una bala en la recámara y seis en el cargador —dijo Holly.

—Por favor, quédate en el taxi hasta que yo te haga señas. —Stone le dio al taxista un billete de veinte dólares, cerró la portezuela y echó a andar hacia Elaine's empuñando la Walther. Ahora alcanzaba a ver que Dino estaba en la acera y esposaba al hombre del maletín.

Entonces, cuando Stone se acercaba y Dino obligaba al individuo a ponerse de pie, se abrió la portezuela de atrás del Cadillac y Lance Cabot se apeó con las manos en alto.

—¡Stone! —gritó—. ¡Ese hombre es mío! —y movió la cabeza hacia el individuo esposado.

Stone se acercó a Dino.

—Un momento —le dijo—. Ése que está en el auto es Lance Cabot, y dice que este tipo le pertenece.

Dino miró a su prisionero y luego hacia el Cadillac.

—Está bien, Mike —le gritó al conductor de su coche—, no hay ningún problema —le sacó las esposas al individuo y le entregó su maletín—. ¿Por casualidad tienes una ametralladora adentro de eso, amigo? —le preguntó.

—Hable con Cabot —respondió el hombre.

Lance se acercó a Dino y le tendió la mano.

—Soy Lance Cabot —se presentó—. Lamento el malentendido.

Dino le estrechó la mano.

—No se preocupe. La culpa fue de Stone.

—Así es —dijo Holly a espaldas de Stone—. Yo soy testigo de ello.

—Muchísimas gracias a todos —dijo Stone—. ¿En qué me equivoqué?

—Bueno, no te equivocaste *del todo* —respondió Dino—. Fue sólo que no sabías con quién estabas tratando.

—Bueno, es hora de cenar —dijo Stone y entraron en Elaine's.

Elaine estaba junto a una de las mesas del frente y los saludó con la mano.

—¿No se les ocurrió nada mejor que pelearse de nuevo en la calle frente a mi local?

—Fue sólo un malentendido —dijo Stone—. Elaine, éste es Lance Cabot, y, Lance, tampoco te presenté a Holly Barker. —Todos se estrecharon las manos y a Stone no le gustó nada la forma en que Holly miraba a Lance.

Se instalaron frente a una mesa.

Lance le preguntó a Holly:

—¿Así que eres la jefa de policía de Orchid Beach, Florida?

—Así es —respondió Holly, pasmada—. ¿Cómo lo supiste?

—Cualquiera que preste atención lo sabría —respondió Lance.

Holly pareció derretirse un poco en su asiento, cosa que molestó a Stone.

—Dime, Lance —dijo—, ¿siempre viajas con guardaespaldas que llevan ametralladoras en sus maletines?

—No, no siempre —respondió Lance con tono suave, como si le hubieran preguntado si usaba pantalones pinzados—. Solamente hoy.

—¿Qué tiene hoy de peligroso? —preguntó Stone.

—Bueno, a la hora del almuerzo descubrí que me seguían.

—¿Ah, sí? ¿Dónde?

—Yo estaba en Little Italy ocupándome de algunos negocios y noté que un Mercedes negro de aspecto amenazador me seguía. Lo perdimos en Brooklyn, pero la política es que cuando uno descubre que lo siguen, debe incrementar las medidas de seguridad.

Holly se escondió detrás del menú.

—Una política muy prudente —dijo Stone—. Holly, ¿qué deseas beber?

Holly bajó el menú hasta el nivel de sus ojos.

—Un Knob Creek con hielo —respondió y volvió a levantar el menú.

—Que sean dos —dijo Lance.

—Entonces tres Knob Creeks con hielo y el veneno que el teniente Bacchetti haya elegido comer esta noche —le dijo Stone al camarero.

—Dino —dijo Lance—, tu reputación te precede.

—¿Ah, sí? —dijo Dino.

—Tenemos una lista de policías confiables en las distintas ciudades en que a veces actuamos. Y tú figuras en ella.

—Eso es una novedad para mí —dijo Dino.

Lance se dirigió a Holly.

—Haré que en esa lista también figure tu nombre.

Holly bajó el menú.

—Qué agradable —dijo ella, sin comprometerse demasiado.

—Nos está transformando a todos en espías —susurró Dino con voz no exactamente suave.

—En absoluto, nada tan siniestro como eso. A veces, en el curso de nuestro trabajo, nos topamos con actividades delictivas que, técnicamente, están fuera de nuestra esfera de acción. Cuando eso sucede, es bueno conocer a determinadas personas entre las fuerzas del orden de nuestra ciudad.

—Dime —dijo Stone—, ¿en el curso de tu trabajo te has cruzado con un individuo llamado Trini Rodríguez?

Lance frunció el entrecejo.

—No, no lo creo.

—¿Y con un tal Robert Marshall?

Lance sacudió la cabeza.

—Tampoco.

—Creo que lo mejor será sincerarme del todo —dijo Holly—. El que te seguía hoy era el auto de Stone.

Lance miró a Stone con recelo.

—No me mires a mí —dijo Stone—. Continúa, Holly.

—Y yo era la que lo conducía.

Llegaron las bebidas y Lance levantó su copa.

—Por las coincidencias —dijo—. Cuando se suman las coincidencias, lo que se obtiene es... —miró fijo a Holly— ...el destino.

Holly se ruborizó.

—Permíteme que te lo explique. Estoy en Nueva York tratando de localizar a un hombre llamado Trini Rodríguez, quien tal vez esté haciéndose llamar Robert Marshall.

—¿Por qué? —preguntó Lance.

—Porque está acusado de homicidios múltiples —respondió Holly—. Hoy lo vi salir de La Boheme y subir a tu automóvil.

—¿*Ese* era Trini Rodríguez? —preguntó Lance.

—Sí. ¿Qué hacía contigo?

—Bueno, eso no puedo decírtelo, pero sí que no era nada que tuviera que ver con homicidios múltiples.

—¿Qué nombre te dio? —preguntó Holly.

—Me dijeron que lo llamaban Bobo. Se supone que, como dirían los británicos, me iba a ayudar en algunas averiguaciones.

—¿Y lo hizo?

—Me temo que no puedo contestarte eso.

—Espléndido —dijo Holly—. Primero, el FBI protege a ese mal nacido y, ahora, también lo protege la CIA.

Lance miró en todas direcciones y movió la mano.

—Por favor. Ojalá pudiera ayudarte, Holly, pero hasta el día de hoy no había visto siquiera al señor Rodríguez y espero no verlo nunca más. Sin embargo, si llegara a cruzarse nuevamente en mi camino, con todo gusto te lo informaré. ¿Puedes darme tu número de teléfono?

Holly le dio su tarjeta mientras Stone ponía los ojos en blanco.

—¿Hay algo más que puedas decirme acerca de él o de las personas que te lo recomendaron?

—Lamentablemente, no —dijo Lance con pesar—. Me temo que así son las cosas en este trabajo. —Se dirigió a Stone.—

A propósito —dijo—, ¿por casualidad no has sabido nada de Herbert J. Fisher?

—No, nada en absoluto —respondió Stone—. ¿Debería tener noticias de él?

—No. Fue sólo una idea que se me cruzó por la mente. Herbie no tomó esta tarde el vuelo a Saint Thomas.

—Creí que lo ibas a hacer seguir de cerca por uno de tus hombres —dijo Stone.

—Yo también lo creí, pero el muy sinvergüenza de Herbie logró sacárselo de encima. O sea que Herbie sigue aquí, en alguna parte, yendo de aquí para allá y muy campante en su Mustang rojo.

—Qué mala noticia —dijo Stone—. Si tengo noticias de él, ¿qué debo decirle?

—Dile que vaya a la esquina de la calle 42 y Broadway y me llame por teléfono —respondió Lance—. Enviaré a alguien allí para que lo remate de un tiro.

Stone no supo bien si lo decía en serio o en broma.

15

Ya habían terminado de cenar y estaban de pie frente a Elaine's despidiéndose. Dino subió al automóvil que lo esperaba y se alejó.

—¿Puedo acercarlos a alguna parte? —les preguntó Lance a Holly y Stone.

Ambos respondieron al unísono:

—No —contestó Stone.

—Sí —dijo Holly.

Lance abrió la puerta de atrás del automóvil y les hizo señas de que subieran.

—Stone, ya sé dónde vives. Holly, ¿adónde puedo llevarte?

—Nos puedes llevar a los dos a mi casa —dijo Stone.

—Ah —musitó Lance. Le dio la dirección al chofer y luego oprimió un botón que hizo que un panel de vidrio bien grueso se elevara separándolos de los dos hombres que estaban en el asiento delantero—. En realidad —dijo Lance—. sí hay algo que me gustaría hablar con ustedes dos.

—Adelante —dijo Holly, quien estaba sentada entre Lance y Stone.

—Es posible que hayan leído en los periódicos que desde lo ocurrido el 11 de septiembre, la CIA está empeñada en una lucha intensa contra el terrorismo.

—Sí, creo haber leído artículos en ese sentido —dijo Stone.

—Como resultado, en la actualidad estamos hilando fino y nos hemos visto obligados a descuidar algunos otros asuntos, en particular los que requieren atención en nuestro propio suelo.

Stone soltó una risotada.

—Pensar que yo creí que a ustedes les estaba prohibido intervenir en asuntos locales.

—Antes, sí. Pero las cosas han cambiado bastante desde el 11 de septiembre.

—Me lo imagino —dijo Stone.

—Stone —dijo Holly—, ¿podrías por favor callarte para que podamos oír lo que Lance tiene para decirnos?

—Gracias, Holly —dijo Lance—. Yo no podría haberlo expresado mejor.

Stone se enfurruñó, pero guardó silencio.

—Como decía —prosiguió Lance—, últimamente hemos tenido que hilar fino y, como resultado, me han autorizado a agregar algunos... digamos, asesores, a nuestro grupo de colaboradores.

—¿Asesores? —preguntó Holly—. ¿Qué quieres decir?

—Personas que en determinado momento están en condiciones de prestarnos servicios, pero que no son empleados permanentes de la CIA.

Stone no pudo aguantar más.

—¿O sea personas a las que ustedes no necesitan pagarles jubilación ni ofrecerles asistencia médica?

—Me entendiste mal —dijo Lance—. Me refiero a personas que han construido su vida fuera de nuestro servicio, y que de manera independiente han adquirido información o contactos que podrían resultarnos útiles en el futuro. Permítanme que les dé un par de ejemplos. Stone, hace poco te viste envuelto, aunque sin saberlo, en una operación británica de inteligencia relacionada con un asesino que estaba causando problemas en Europa y Nueva York. —Hizo una pausa.

—Si tú lo dices... —dijo Stone, sorprendido de que Lance tuviera conocimiento de ese hecho.

—Nos habría gustado saberlo en aquel momento, y no después —dijo Lance. No esperó a que Stone le respondiera—. Holly, tú te viste involucrada en una importante investigación federal en Florida, y tengo entendido que tuviste mucho que ver con su exitoso final. Nos habría gustado muchísimo estar enterados de ello en su momento. ¿Esto tiene algún sentido para ustedes dos?

—Por supuesto —respondió Stone—. Lo que quieres es que nos convirtamos en soplones de la CIA.

—No, no —dijo Lance con tono conciliador—. Lo que nos gustaría es que ustedes dos, cada tanto, participaran de manera más activa en ciertas situaciones que pueden presentarse. Desde luego, siempre recibimos de buen grado toda información pertinente.

—¿Qué clase de situaciones? —preguntó Holly.

—Por ejemplo, Stone nos ha sido de gran ayuda al manejar el problema de Herbie Fisher y, aunque ese problema todavía no se ha solucionado del todo, ello no es en absoluto culpa de Stone. Holly, tú podrías ser de ayuda similar en alguna otra situación, en tu propio campo de acción. Nunca se sabe cuándo se producen esas situaciones.

—Me parece entender —dijo Holly—. Estaríamos todo el tiempo de guardia o algo así.

—Sí, algo así. Y jamás querríamos interferir en tus obligaciones ni en tu trabajo principal.

—¿Y el trabajo a que te refieres sería pago? —preguntó Holly.

—Desde luego, y muy generosamente. Pregúntale a Stone.

Stone dijo:

—No hay en los cofres de la CIA suficiente dinero para que valga la pena tratar con Herbie Fisher y sus problemas.

—De todos modos, no fue un mal negocio para ti, ¿verdad? ¿Cuánto tiempo te demandó... un par de horas?

—Bueno, sí. No me llevó demasiado tiempo —reconoció Stone—, y me pagaron muy bien.

—¿Lo ves? —dijo Lance y abrió las manos—. Nos estamos poniendo de acuerdo.

—Y —dijo Holly— si aceptáramos ser consultores, por así decirlo, y tuviéramos un pequeño problema, ¿la CIA nos daría una mano para solucionarlo?

—¿En qué clase de problema estás pensando? —preguntó Lance con cierto recelo.

—Oh, en nada concreto en este momento —contestó Holly—, pero nunca se sabe qué nos puede traer el futuro, ¿no te parece

—Bueno, supongo que podrían producirse circunstancias en las que podríamos ser de utilidad de una manera informal —dijo Lance—, pero, desde luego, no puedo hacerte ninguna promesa en ese sentido puesto que se trata de algo tan impreciso y vago.

—Por supuesto —dijo Stone—. Dime, ¿hay un contrato para esta clase de servicios?

—Supongo que podría haberlo —contestó Lance—, si se considerara necesario.

El automóvil se detuvo frente a la casa de Stone.

—Te diré qué haremos. ¿Por qué no me mandas los contratos, así puedo echarles un vistazo? —dijo Stone.

—¿O sea que tú representarías a Holly?

—Sí —dijo Holly—, así es.

—Está bien. Veré qué podemos hacer.

—Buenas noches, Lance —dijo Stone al abrir la puerta del vehículo—, y gracias por traernos.

—Lo mismo digo —añadió Holly.

Stone cerró la puerta del auto y ambos ascendieron por los escalones de la entrada.

—¿No te pareció algo realmente raro, rarísimo? —preguntó Holly al entrar en la casa.

—Creo que cualquier cosa que tenga que ver con Lance es sumamente rara —contestó Stone. Subieron en el ascensor hacia el departamento. Cuando Stone se bajó, Holly lo siguió a su dormitorio.

Ella lo tomó de las solapas y lo besó.

Stone le devolvió el beso.

—Eso fue muy agradable —dijo él.

—¿Qué tengo que hacer para que te acuestes conmigo? —preguntó Holly y volvió a besarlo.

—Bueno, yo… —lo detuvo la lengua de Holly en su boca.

—Quiero decir, he estado desfilando frente a ti medio desnuda… no, totalmente desnuda, y eso por lo general produce resultados, pero tú, en cambio, te quedaste dormido.

—Lo siento, yo…

Ella le quitó el abrigo y comenzó a desatarle el nudo de la corbata.

—¿Sabes una cosa? Ser tratada así podría herir mucho a una mujer —comenzó a dedicarse a los botones.

—¿Daisy no tiene que salir? —preguntó Stone con un hilo de voz.

—Daisy sólo tiene un riñón; no te preocupes —ahora se concentraba en sus propios botones—. ¿No crees que podrías ayudarme un poco en esta tarea?

—Lo que tú quieras —dijo Stone, y se ocupó de sus boto-

nes, sus cierres automáticos y sus broches—. No quiero que
pienses que te descuido.

—Me siento descuidada —dijo ella—. Soluciónalo.

Stone hizo lo que pudo.

16

Stone sintió un beso suave cerca de la oreja. Giró hacia Holly y, para su desconcierto, recibió un beso mucho más intenso y húmedo, justo en la boca. Estaba acompañado de más lengua de lo que estaba acostumbrado.

Al abrir los ojos descubrió la cabeza de Daisy entre la suya y la de Holly. Esto era posible porque él y Holly estaban acostados transversalmente sobre la cama. Stone rascó a Daisy detrás de las orejas y apartó su cabeza con suavidad.

Holly giró hacia él y abrió los ojos.

—Increíble —dijo.

—Sí, increíble.

—¿Por qué no hay sábanas?

—No lo sé —contestó Stone—. ¿Por qué estamos acostados transversalmente en la cama?

—Creo que perdimos el rumbo —fue la contestación de Holly.

Daisy lanzó un diminuto gruñido.

—Caramba, caramba —dijo Holly—. Creo que anoche olvidé algo. —Se incorporó en la cama.— Ya voy, Daisy. —Bajó la vista y contempló el cuerpo desnudo de Stone.— Aunque confieso que hay otras cosas que preferiría hacer —se levantó de un salto.

Cuando Stone se despertó de nuevo ella estaba sentada en el borde de la cama, con la bata de toalla de él, y se estaba secando el cabello.

—Buenos días —dijo Holly.

—Debo de haberme quedado dormido.

—¿Por qué? No tienes ningún motivo para sentirte cansado y son más de las nueve de la mañana. Debemos de haber dormido unas dos o tres horas.

Stone giró hasta quedar boca abajo y apoyó la cabeza en las rodillas de Holly.

—Ráscame la espalda —dijo él—. Sólo me queda energía para eso.

Ella comenzó a rascarle la espalda.

—Tienes marcas de sábana en la espalda. Eso es lo que sucede cuando se duerme sobre sábanas arrugadas.

—Es el precio que hay que pagar —murmuró Stone y enterró más la cabeza entre las piernas de ella.

—Ése sí que es un lugar perfecto para tu cabeza —dijo Holly.

Él le apartó la bata y sepultó más la cabeza y su lengua en el cuerpo de ella.

—Mejor todavía —Holly se echó hacia atrás sobre la cama y giró hacia él y lo tomó en su boca. Los dos comenzaron a excitarse y dos minutos después compartían un orgasmo.

—No sabía que me quedara energía para eso —dijo Stone.

—Me alegra que así fuera. ¿Lo hacemos de nuevo?

—¿Quieres que muera aquí y ahora?

—Pobrecito mío. Mejor duérmete una siesta.

Al despertar de su siesta, Stone descubrió que junto a su cabeza había una bandeja con un sandwich y un vaso de té helado.

—¿Ves lo que consigues cuando te portas bien? —dijo Holly.

Dificultosamente, Stone consiguió incorporarse, encontró el control remoto de la cama e hizo que la cabecera se levantara para convertirse en un respaldo.

—¿Y tú qué me cuentas? —preguntó.

—Almorcé en la cocina para no molestarte. Además, Daisy y yo ya volvimos de otra larga caminata.

—¡Cuánta energía! —dijo él mientras comenzaba a comer el sandwich.

—No imaginas cuánto tiempo hacía que no veía a un hombre desnudo comer un sandwich —dijo ella y le sonrió.

—¿Qué plan tienes para hoy?

—Supongo que no serviría de nada vigilar de nuevo La Boheme —dijo—. A esta altura debo de haber asustado a Trini y provocado su alejamiento de Little Italy. ¿Crees que Lance sabe más acerca de Trini de lo que nos dijo?

—Creo que Lance siempre sabe más de lo que dice. Anoche me sorprendió con lo de la asesoría.

—Me parece que voy a aceptar su propuesta —dijo ella y se instaló al lado de Stone—. Ésta es una cama muy linda. ¿Vibra?

—Sí.

—Comienzo a cansarme de mi trabajo —dijo ella.

—¿Cuál trabajo? ¿Yo?

—No. Mi cargo de jefa en Orchid Beach.

—Creí que te encantaba.

—Y me encantó durante mucho tiempo, pero se está volviendo cada vez más rutinario. Lo que quiero decir es que he mejorado el Departamento de Policía, he entrenado mejor a la gente y todo eso, pero no es algo que tenga que hacer para subsistir.

—Es verdad, eres un militar retirado; tienes una jubilación.

—Sí, y también Jackson me dejó en muy buena posición.

—Eso habla muy bien de Jackson. ¿Por qué no viajas y conoces parte del mundo?

—Soy hija del ejército —dijo ella—. He recorrido el mundo dos veces.

—¿Entonces qué te gustaría hacer?

Holly se encogió de hombros.

—No lo sé. Estoy disfrutando mucho de mi estadía en Nueva York, pero no estoy segura de querer vivir aquí.

—Nueva York es un mejor lugar para vivir que para estar de visita —dijo Stone.

—Si tú lo dices…

—Si ni siquiera empezaste a conocer la ciudad. Hemos estado comiendo siempre en Elaine's.

—¿Alguna vez comes en otro lugar que no sea Elaine's?

—Sí, alguna que otra vez —respondió secamente Stone—. ¿Por qué no te llevo esta noche a algún otro restaurante?

—Soy toda tuya.

Después de almorzar, Stone se duchó y bajó a su oficina.

—Buenas tardes —le dijo Joan sarcásticamente.

—No empieces. Sigo cansado.

—No te preguntaré por qué.

—Dormí poco, eso es todo.

—No te preguntaré por qué —repitió Joan.

—¿Pasó algo?

Ella le entregó un sobre grande de papel madera.

—Entregaron esto en mano hace media hora.

Stone llevó el sobre a su escritorio y lo abrió. Adentro había dos contratos, uno para Holly y otro para él. Lance no había perdido tiempo. El nombre del empleador que figuraba en el contrato era la Compañía Woodsmoke, con dirección en el edificio Seagram. Primero leyó el de Holly.

Era sorprendentemente breve y directo. Le garantizaba 1000 dólares por día, o por una parte de un día, y viajes a todo lujo si necesitara trasladarse a otra parte.

El contrato de Stone era similar, pero él tachó todo lo referente a los honorarios diarios y escribió en cambio "sus habituales honorarios por hora o por día". Eso impediría que Lance lo llamara demasiado seguido.

Llamó por teléfono a Holly, quien enseguida bajó a la oficina.

—Lance ha estado muy ocupado —dijo él y le entregó el contrato—. Lo leí y me parece bien. Si quieres firmarlo, después se lo enviaré de vuelta a Lance por un mensajero.

Ella lo leyó y lo firmó.

—A propósito —dijo—, ¿podrías, por favor, dejar de estar celoso de Lance?

Stone la miró, estupefacto.

—¿Celoso yo? ¿De Lance?

—Anoche hubo un par de momentos en que tuve la sensación de que ibas a pegarle una trompada.

Stone se puso un poco colorado.

—Lamento que hayas recibido esa impresión. Te prometo que trabajaré en ello.

—Pensé que después de anoche no tendrías ningún motivo para tener celos de nadie.

Stone se puso de pie y cerró la puerta.

—¿Qué, sobre el escritorio? —preguntó Holly—. Por lo que recuerdo, arriba hay una cama.

—No quiero que Joan escuche esto. Ya me está haciendo pasar bastantes malos ratos.

—Oh, qué pena. Me habría encantado hacerlo sobre el escritorio.

—Te juro que hoy soy apenas la sombra de lo que era —dijo Stone y se sentó.

—Sí, claro —dijo ella—. Todavía te queda mucho millaje.

—Después de descansar un mes.

Ella se puso de pie y abrió la puerta.

—Tienes hasta después de la cena —dijo y se dirigió nuevamente al departamento.

Stone confió en poder recuperarse para entonces. Le dio los contratos firmados a Joan y le dijo que los copiara y se los enviara de vuelta a Lance.

17

S tone llevó a Holly al Four Seasons, porque era el restaurante más elegante de Nueva York que conocía y, también, porque quedaba tan cerca de su casa que podían ir caminando.

Holly había pasado la tarde haciendo compras y regresó con bolsas de Armani y Ralph Lauren. Un vestido negro de Armani hizo que Stone olvidara que había tenido demasiado sexo la noche anterior. Se instalaron frente a una buena mesa en el Pool Room.

—¿Qué quieres beber? —preguntó Stone.

—Un cóctel de vodka, en proporción de tres a uno, y batido hasta quedar tan frío que los dedos del cantinero queden pegados a la coctelera.

—Que sean dos —le dijo Stone al camarero.

—¿Desea una marca particular de vodka? —preguntó el camarero.

—Cualquiera estará bien —contestó ella. Cuando el camarero se alejó, Holly dijo—: El vodka no es más que un aguardiente que ha sido cortado al 50% con agua. No sé por qué les dan tanta importancia a las marcas. No es como si se tratara de un scotch de dieciocho años de añejamiento.

—Coincido contigo —dijo Stone—. ¿Siempre das indicaciones tan precisas cuando pides una bebida?

—Sólo con los cócteles de vodka —respondió ella—. Los cantineros nunca suelen medir bien la mezcla y siempre le ponen demasiada vodka.

—Vaya si eres controladora, Holly.

—Sólo cuando se trata de cócteles de vodka.

—Ese vestido es... Tú haces que luzca maravillosamente en tu cuerpo.

—Bien dicho, y justo a tiempo. Creí que me ibas a decir que este vestido me hace lucir *a mí* despampanante.

—Para nada —dijo Stone, quien había estado a punto de decir precisamente eso—. Esta noche realmente no pareces policía.

—¡Un cumplido más! ¿Sabes?, no hay manera de parecer femenina con un uniforme policial, a menos que se usen shorts.

—¿Tú usas shorts?

—Estoy en Florida, ¿recuerdas? De hecho no los uso, pero aliento a mis agentes del sexo femenino a que sí lo hagan.

—¿A cuáles agentes del sexo femenino?

—A las que les quedan bien los shorts. Eso promueve el turismo.

Llegaron las bebidas, que ellos probaron enseguida.

—Bueno, *éste* sí que es un excelente cóctel de vodka —dijo Holly—. Ya por el color se nota que lo es. Siempre debería tener una tonalidad verdosa.

—Y éste la tiene.

—Stone, necesito tu opinión con respecto a algo.

—Te escucho.

—Se trata de un consejo legal y por lo tanto, confidencial.

—Adelante.

—Tengo 5.760.000 dólares y no sé qué hacer con ellos.

—Cómprate un jet.

—No me parece.

—¿Quieres que te presente a mi agente de bolsa?

—No.

—¿Qué quieres hacer tú con ese dinero?

—No tengo la menor idea.

—Podrías donarlo a tu institución benéfica preferida.

—Eso implicaría dejar una huella de papeles.

—Ajá —dijo él.

—¿Qué ocurre?

—Esto es ilegal, verdad?

—Acerca de eso quería consultarte.

—De acuerdo, entonces. ¿Dónde conseguiste ese dinero?

—Bueno, el año pasado estuve investigando un caso en el que el producto de varios delitos era descargado de una camioneta llena de maletines y cajas. Y, como quería saber qué contenían, me llevé a casa un maletín grande, que luego descubrí que estaba lleno de billetes, concretamente de 5.760.000 dólares.

—¿Y dónde está ahora ese dinero?

—En un árbol.

—¿Qué?

—Lo que quiero decir es que trepé a un árbol y calcé el maletín entre las ramas.

—¿Esto fue en Florida?

—Sí.

—En Florida suele haber huracanes. ¿Y si se desata un huracán?

—Entonces habrá billetes de 100 dólares esparcidos por todo el Condado de Indian River, y mi problema se habrá solucionado.

—Está bien, vayamos a lo fundamental: esto es ilegal, has cometido un delito.

—Me lo imaginaba.

—¿Por qué lo hiciste?

—Bueno, tomé el maletín para saber si transportaban dinero, pensaba luego devolvérselo a ellos. Lo oculté, y no hice nada de lo pensado hasta que un par de semanas después arrestamos a la banda completa.

—¿Por qué no lo devolviste?

—¿A quién, a los criminales? Estaban ya todos en la cárcel.

—¿Le contaste a alguien acerca de todo esto?

—Sí. Se lo dije a Grant Harrison, mi amigo del FBI. Bueno, mi ex amigo. Esto fue antes de que se transformara en un tonto rematado y, además, burócrata.

—¿Y él no te arrestó?

—Ya te dije, en aquella época éramos amigos.

—¿Cómo de amigos?

—Muy amigos.

—¿Y él no hizo nada con respecto a este asunto?

—¿Con respecto al dinero? No.

—Bueno, eso lo convierte en cómplice.

—Qué curioso, eso fue lo que le dije la última vez que él me lo mencionó.

—¿Y qué dijo él?

—No dijo nada. De hecho, dejó de hablarme durante un buen tiempo.

—¿Por qué no le entregaste el dinero al FBI?

—Se lo sugerí a Grant, pero él palideció. Quiso saber cómo explicaría yo esa prolongada demora en devolverlo. Le dije que *nosotros* tendríamos que dar alguna explicación.

—¿Y cuál fue su reacción?

—Me dijo que me callara la boca y que nunca volviera a mencionarle el asunto.

—¿Alguien presenció esta conversación?

—No. En ese momento los dos estábamos en la cama.

—Entonces supongo que no llevabas puesto un grabador.

—Supusiste bien.

—Confieso que nunca me topé con un problema como éste —dijo Stone.

—Tampoco yo.

—Imagino que habrás pensado cómo gastarlo.

—Bueno, sí, pero en realidad ya tengo todo lo que necesito y no puedo darme el lujo de tener más, así que ¿qué hago con el dinero?

—Podrías atarlo con un lindo moño, dejarlo junto a la puerta de tu orfanato preferido, tocar el timbre y echar a correr.

—Lo pensé, pero estoy segura de que alguien me vería y que me arrestarían. De todos modos, no tengo ningún orfanato preferido.

—Entonces podrías dejar el dinero en el árbol hasta que algún afortunado leñador lo tale y lo encuentre.

—Me seguiría preocupando el tema. Y estoy cansada de preocuparme.

—¿Y si le das el dinero a tu abogado…?

—Sí, claro.

—Aguarda un minuto, todavía no terminé. Entonces tu abogado habla con el jefe de policía local y le dice que tiene un cliente que ha encontrado cierta cantidad de dinero que sospecha es ilegal, y que el cliente quiere devolverlo, siempre y cuando pueda hacerlo de manera anónima.

—Yo soy la jefa de policía. ¿No estamos hablando de una conspiración?

—¿Una conspiración para hacer lo correcto?

—Creo que comienzas a entender la gravedad de mi problema.

—Así es.

—Stone, tú tienes un avión, ¿sí?

—Sí.

—En la propiedad hay una pista de aterrizaje. ¿Por qué no

nos vamos tú y yo allá esta noche, tomamos el dinero y lo traemos a aquí. Lo compartiremos 50 y 50.

Stone levantó las manos como para expresar su rechazo.

—De ninguna manera vas a meterme en este problema. De todas maneras, acabo de beber un cóctel de vodka, así que legalmente no puedo pilotear hasta dentro de ocho horas. Y a esa altura llegaríamos allá en pleno día.

—Entonces lo haremos mañana por la noche.

—Holly, necesito un poco de tiempo para pensarlo.

—Te apuesto a que sabes cómo depositar este dinero en un banco extraterritorial, ¿verdad que sí?

—Por supuesto, es muy fácil. Vamos con mi avión a las islas Caimán, buscamos un banco, depositamos el dinero y regresamos. La aduana no te revisa cuando sales del país.

—Me gusta cómo suena eso —dijo Holly.

—Desde luego, tendríamos que firmar una solicitud asegurando que no estamos sacando del país más de 5000 dólares en efectivo o en documentos negociables. Si mentimos, se lo consideraría un delito grave.

—Pues a mí me parecería un delito *menor*, ¿no estás de acuerdo?

—Basta, Holly. No pienso seguir bebiendo.

—¿Para poder pilotear el avión?

—Para dejar de pensar de esta manera. Me estás volviendo loco.

Ella le lanzó una mirada lasciva.

—Era hora.

Más tarde, en la cama, olvidaron todo lo referente al dinero.

18

A la mañana siguiente, Stone estaba frente a su escritorio cuando Joan lo llamó por el intercomunicador.

—¿Sí?

—Lance Cabot está aquí para verte.

—Hazlo pasar.

Lance entró en la oficina de Stone con un sobre en la mano.

—Buenos días —dijo, con su afabilidad habitual.

—Buenos días, Lance. ¿Qué puedo hacer por ti?

—Quería hablarte de tu contrato.

—De acuerdo.

—Con el de Holly no hay problemas. Ya lo envié a Langley, donde será firmado y fechado, luego de lo cual le enviarán una copia. Sin embargo, con el tuyo hay ciertos problemas. Yo no puedo incluir palabras como "sus honorarios habituales por hora o por día". Debemos ser específicos.

—Está bien, entonces. 500 dólares la hora.

—Creo que sería más ventajoso para ti que fijáramos una cantidad por día, como figura en el contrato de Holly.

—De acuerdo, 4000 dólares diarios.

—Yo pensaba más bien en 2000.

—3500.

—3000.

—Hecho.

Lance sacó el contrato del sobre.

—¿Tu secretaria podría reescribir esta página?

—Desde luego —respondió Stone y llamó a Joan.

Lance hizo los cambios y le pasó la página a Joan, quien desapareció.

—¿Tenemos entonces un trato? —preguntó Lance.

—Lo tenemos.

—Espléndido. Me gustaría que hoy fueras a Londres.

Stone logró disimular su sorpresa.

—¿Hoy?

—Sí.

—¿Para qué?

—Eso se te explicará cuando llegues al Connaught, que es donde te hospedarás.

—¿Cuánto tiempo estaré ausente de aquí?

—Una noche, posiblemente dos.

—Me temo que eso no será posible.

—¿Por qué no?

—Tengo una huésped en casa.

Lance suspiró.

—Holly no puede ir contigo.

—Es sólo un pasaje en Concorde.

—Ni siquiera si tú le pagas ese pasaje, y pensaba en clase business.

—Mi contrato especifica que los viajes serán en primera clase.

—Oh, está bien —dijo Lance y levantó las manos, vencido.

—¿Cuándo y dónde se me pagarán mis gastos?

—Nuestro agente de viajes se ocupará de todo lo necesario para el viaje en sí. Puedes facturarnos cualquier gasto por encima de los pasajes de avión, el hotel y los viajes de y a los aeropuertos. Mi gente te enviará un formulario para gastos. Es una lata, pero tu secretaria puede hacerlo.

—¿Hacer qué? —preguntó Joan, quien en ese momento entraba en la oficina al tiempo que entregaba una hoja de papel a Lance.

—Mis gastos —respondió Stone.

—¿Cuáles gastos?

—Los de mi viaje a Londres.

—¿Cuál viaje a Londres?

—El que emprenderé hoy mismo.

—¿Esto es para la Compañía Woodsmoke?

Fue Lance el que respondió.

—Exactamente.

—¿Qué es exactamente la Compañía Woodsmoke?

—Gracias, Joan —dijo Lance—. Eso es todo por el momento. —Lance desplegó el contrato sobre el escritorio de Stone y ambos lo firmaron.

—Ya está —dijo Lance—. Todo listo. Haré que dentro de aproximadamente una hora se te envíen los pasajes y la confirmación del hotel. Será mejor que empieces a preparar el equipaje. —Lance giró para irse.

—Un momento. ¿Qué se supone que tengo que hacer cuando llegue a Londres?

—En lo posible, descansar toda la noche y luego esperar un llamado telefónico por la mañana. Alguien te mencionará Woodsmoke. Que tengas buen viaje —respondió Lance y se fue.

Stone subió a su departamento y encontró allí a Holly.

—Me temo que tendré que desaparecer por un par de días —dijo.

—¿Por qué?

—Debo ir a Londres.

—¿Para qué?

—No lo sé.

—Suena obra de Lance.

—Lo es. Me dijo que muy pronto recibirás tu contrato firmado.

—¿Por qué no voy contigo?

—Se lo propuse, pero él me dijo que no. Y es su fiesta.

—¿Fiesta?

—Bueno, es una manera de decir.

—Mientras tanto, quiero que te sientas como en tu casa.

—¿Puedo dormir en tu cama?

—Por supuesto. Me gustaría imaginarte durmiendo en mi cama.

—Y, cuando estés en Londres, ¿en la cama de quién dormirás? —preguntó ella con malicia.

—En la cama del Hotel Connaught. No creo que ellos suelan proporcionar compañeras de lecho.

—Mejor así. ¿No me dirás que vas hacer allá?

—Ya te lo dije, no tengo idea de lo que tendré que hacer en Londres, y quizá cuando lo sepa no me estará permitido decírtelo.

—Me encantan estas aventuras de capa y espada —dijo ella.

—No te creo. Preferirías saber qué está sucediendo.

—Bueno, supongo que eso es cierto.

—Tengo que preparar el equipaje —dijo él, se acercó al closet y bajó una valija de mano.

—¿Puedo mirarte?

—¿Mirarme?

—Quiero ver qué llevas.

—Lo que más te excite —puso en el bolso tres mudas de ropa interior, medias, camisas y un par de pijamas; luego dobló un traje y lo puso encima.

—¿Ningún artículo de tocador?

Stone tomó de un estante un pequeño bolso de lona.

—Ya lo tengo preparado.

—Vaya si fue sencillo.

—Yo me puedo arreglar perfectamente con un blazer y un traje azul oscuro.

—¿Y si te invitan a una fiesta de etiqueta?

—Si preveo que eso puede ocurrir, llevo mi esmoquin, pero eso es para un viaje más prolongado. En el peor de los casos puedo usar una corbata moñito negra con el traje azul, o puedo alquilar un esmoquin.

—¿Qué zapatos llevas?

—Un par de mocasines negros de piel de lagarto. Quedan bien en todas las ocasiones.

—Las cosas son tan simples para los hombres.

—¿Ah, sí? Trata de afeitarte todos los días.

—Ahora está de moda tener la cara mal afeitada.

—Junto con pésimos cortes de cabello y trajes con tres botones, que son tan ridículos como la barba de varios días y los cortes de cabello espantosos.

—¿Por qué?

—Son horribles y poco sentadores.

—Que tengas un buen viaje. Daisy y yo nos vamos al parque. Llámame cuando llegues a Londres, sólo para que yo sepa que sigues con vida.

—Si no te llamo quiere decir que estoy muerto.

—Más vale que lo estés —ella lo besó y partió con Daisy.

19

Cuando el Concorde comenzó a carretear por la pista, Stone se puso a pensar en Carpenter, cuyo verdadero nombre era Felicity Devonshire. Se habían separado algunos meses atrás en términos no demasiado buenos, y no estaba seguro de que ella quisiera verlo. De hecho, tampoco él estaba seguro de tener ganas de verla.

Durmió un rato y se despertó cuando una asistente de vuelo anunció que estaban próximos a aterrizar en Heathrow. Hizo los trámites correspondientes frente al mostrador de inmigración y, como no llevaba equipaje fuera del de mano, no tuvo que detenerse en la aduana, de modo que enseguida comenzó a buscar su nombre en las pancartas que sostenían los choferes del otro lado de la aduana. No encontró el suyo. Adiós viajes de lujo.

Un hombre de traje negro se le acercó.

—¿El señor Barrington?

—Sí.

El hombre le tomó la valija.

—Por favor, sígame —dijo con acento estadounidense.

Stone siguió al hombre hacia el exterior del edificio de la terminal, donde un Mercedes negro los aguardaba, con su conductor al volante. Stone subió y se instaló en el asiento de atrás, mientras el otro hombre ponía la valija en el maletero y se sentaba adelante, junto al conductor. El automóvil comenzó a rodar y a alejarse lentamente.

—Yo hubiera esperado un automóvil norteamericano —dijo Stone.

—Habría sido un dato demasiado significativo para la oposición —respondió el hombre—. El Mercedes es un vehículo mucho más anónimo en Londres.

—¿Cuál oposición?

—La que sea.

—¿Alguna idea de qué estoy haciendo yo aquí?

—Alguien lo llamará por la mañana. Me dijeron que es posible que su misión termine a tiempo para tomar mañana un vuelo por la tarde. En ese caso, lo pasaremos a buscar por el Connaught.

Eso fue todo lo que se dijo durante el trayecto a Londres.

Stone se registró en el Connaught y le dieron una buena suite en el último piso. Reservó una mesa para la cena en el restaurante del hotel, durmió una siesta, se duchó, se cambió de ropa y bajó a comer.

Algo no estaba bien. Mientras lo acompañaban a su mesa paseó la vista por ese agradable recinto con revestimiento de madera. La enorme araña había desaparecido; el piso estaba cubierto con una extraña alfombra contemporánea; había apliques nuevos y raros en las paredes; los camareros no vestían el habitual frac; por ninguna parte se veía al señor Chevalier, el gerente del restaurante; el menú elaborado había sido reemplazado por uno mucho más breve.

—¿Dónde está el señor Chevalier? —le preguntó al jefe de camareros.

—Ya no trabaja aquí. Tengo entendido que ahora está en Harry's Bar.

—¿Y el chef?

—También se fue. Ahora tenemos uno nuevo.

La cena de Stone fue buena, pero diferente. Ya no era el comedor del Connaught. Tuvo la sensación de haber perdido a un viejo amigo.

La campanilla del teléfono despertó a Stone a las siete en punto de la mañana.

—Hola.

—Soy Carpenter.

—Hola. ¿Cómo supiste que yo estaba aquí?

—Bueno, no fue precisamente porque me llamaras, ¿no? No era necesario que pasaras la velada solo.

Stone no supo qué decir.

—Un automóvil te recogerá dentro de un rato, a las ocho y media —dijo ella—. Por favor, espéralo en la puerta. Y piensa bien lo que vas a decir.

—¿Hablar de qué? —preguntó él, pero ya ella había cortado la comunicación.

Stone comió un desayuno inglés completo, después se vistió y bajó a la hora acordada. El portero le abrió la portezuela de un automóvil sedán negro, que Stone pensó era marca Ford, y él subió al vehículo.

—Buenos días, señor Barrington —dijo uno de los dos hombres del asiento delantero. Tenía acento *cockney*.

—Buenos días. ¿Adónde vamos?

—Tendremos un viaje de unos doce o quince minutos, según el tráfico que encontremos —dijo el hombre.

—Pero, ¿adónde?

—Por favor, póngase cómodo.

Stone miró por la ventanilla del vehículo mientras pasaban por Berkeley Square, hacia la calle Conduit en dirección a la calle Regent, luego a Picadilly Circus y después por la avenida Shaftsbury hacia Cambridge Circus. Doblaron hacia una calle lateral y después hacia un callejón, y el vehículo se detuvo.

El individuo se bajó, observó con atención cada uno de los extremos del callejón y luego abrió la portezuela de Stone.

—Ya llegamos, señor Barrington —dijo y señaló una puerta sin número.

Stone se bajó y la puerta se abrió antes de que él llegara junto a ella.

—Por favor, sígame —dijo un hombre joven de traje oscuro con rayas. Su acento era el de alguien de clase alta. Stone lo siguió hasta un ascensor cuyos botones no tenían marcas, subieron varios pisos y salieron del ascensor. Después lo condujeron a una habitación pequeña en la que había un sofá y algunas sillas.

—Por favor tome asiento, señor Barrington. Lo llamarán dentro de algunos minutos.

—¿Me llamará quién y para qué? —preguntó Stone, pero ya la puerta se había cerrado. Tuvo la sensación de estar en la sala de espera del consultorio de un psiquiatra.

Revisó la pila de viejos ejemplares de la revista *Country Life* y eligió el más reciente, que tenía más de un año de editado. Se sentó, lo hojeó y leyó todo lo referente a las casas de campo que había en venta en Kent y los Cotswolds. Transcurrieron alrededor de veinte minutos antes de que se abriera una puerta que había en un costado de la habitación.

Un hombre cincuentón, ataviado con un buen traje, permaneció un momento de pie junto al marco de la puerta, con una carpeta debajo de un brazo. ¿El psiquiatra?

—Señor Barrington, ¿tendría la bondad de pasar? —y se hizo a un lado para permitir que Stone pasara.

Stone entró en una sala de reuniones. Cuatro hombres, con edades que iban desde poco más de 50 a poco más de 70 años, se encontraban sentados frente al extremo más alejado de una mesa con lugares para doce personas. A Stone le acercaron una silla en su extremo y él se sentó.

—Buenos días —dijo un hombre de cabello entrecano sentado justo frente a Stone.

—Buenos días —dijo Stone. Lo que sintió fue que o bien estaba siendo objeto de una entrevista para un empleo o había hecho algo espantoso y lo habían llamado para que presentara sus explicaciones. El hombre que lo había conducido a ese recinto le entregó una Biblia y una tarjeta de cartulina.

—Por favor, tome la Biblia y lea en voz alta lo que está escrito en la tarjeta —dijo.

Stone tomó la Biblia y leyó:

—Juro por Dios Todopoderoso que las pruebas que estoy a punto de dar en este acto son la verdad.

El hombre le tomó después la Biblia y la tarjeta.

¿Era un tribunal? ¿Un gran jurado? Por primera vez advirtió que, en un rincón, una mujer se encontraba sentada frente a una máquina estenográfica.

El hombre del otro extremo de la mesa contestó las preguntas no formuladas por Stone.

—Ésta es una investigación —dijo— acerca de lo que ocurrió en el Hotel Waldorf Astoria de la ciudad de Nueva York a comienzos de este año y en su presencia, señor Barrington. También estuvieron presentes el teniente Dino Bacchetti y una persona conocida por usted como Carpenter. ¿Recuerda usted esa ocasión?

—Sí —contestó Stone—. Creo que sí.

—¿Ustedes tres perseguían a una mujer joven llamada Marie-Thérèse du Bois?

—Así es.

—Hemos oído el testimonio de que mademoiselle du Bois se refugió en la habitación de un hotel.

—Es correcto.

—Por favor, díganos qué sucedió después de que usted, el teniente Bacchetti y Carpenter llegaron a esa habitación.

Piensa bien lo que vas a decir, le había advertido Carpenter.

Stone hizo una inspiración profunda; daría la menor cantidad posible de detalles.

—Marie-Thérèse du Bois emergió del cuarto montada sobre las espaldas de un hombre grandote y utilizándolo como un escudo.

—¿Ella estaba armada?

—Sí, apuntaba una pistola semiautomática a la cabeza del hombre.

—¿Ustedes tres estaban armados?

—Sí.

—¿Qué ocurrió a continuación?

—El hombre grandote nos sorprendió arrojando a mademoiselle du Bois contra una pared y dejándola aturdida.

—Prosiga.

—Ella levantó su pistola como para disparar contra nosotros, pero Carpenter se le adelantó y disparó antes —esta declaración deformaba en cierta medida la verdad.

—¿Mademoiselle du Bois disparó su arma?

—No. Creo que su pistola tenía un problema.

—¿Sabe usted cuál?

—Supongo que estaba trabada o algo así.

—Hemos oído el testimonio de que su arma no estaba cargada. ¿Sabe usted si efectivamente era así?

—Yo no examiné su arma —dijo Stone, evitando así una respuesta directa.

—Señor Barrington, ¿creyó usted que su vida corría peligro durante estos sucesos?

—Sí —contestó Stone.

—¿Cuántas veces disparó Carpenter?

—Creo que dos, pero no estoy del todo seguro.

—¿El teniente Bacchetti abrió fuego?

—No.

—¿Lo hizo usted?

—No.

—Si se sentía usted en peligro, ¿por qué no disparó su arma?

—Carpenter fue más rápida que nosotros, y era obvio que no eran necesarios más disparos. Mademoiselle du Bois había recibido un tiro en la cabeza.

—En su opinión, ¿estaba justificado que Carpenter le disparara a mademoiselle du Bois? —preguntó el hombre.

Stone vaciló apenas un instante.

—Sí —mintió.

—¿Tiene usted algo que agregar a su declaración? —preguntó el hombre.

Stone bajó la vista hacia la mesa, miró luego al hombre y dijo:

—No.

—Gracias, señor Barrington —dijo el hombre—, eso es todo. Le agradecemos mucho su testimonio.

Y casi antes de caer en la cuenta, Stone ya se encontraba de vuelta en el callejón y dentro del automóvil. Quince minutos después estaba de regreso en el Connaught. La campanilla del teléfono sonaba cuando entró en su habitación. Levantó el tubo.

—Hola.

—Gracias —dijo Carpenter.

—¿Conseguiste el trabajo?

—Lo tengo desde que regresé a Londres —dijo ella—. Lo de esta mañana fue parte de una investigación para determinar si lo conservaré.

—Mentí —dijo Stone—. No era necesario que la mataras.

—Sí, debía hacerlo —respondió Carpenter—. Pero gracias. Espero verte pronto.

—Buena suerte.

—Gracias. Adiós. —Y la línea quedó en silencio.

Stone estaba nuevamente en Turtle Bay al atardecer, hora de Nueva York.

Holly lo recibió calurosamente.

—Qué viaje tan veloz —dijo—. ¿De qué se trataba?

—No sé por qué, pero me parece que no debo decírtelo —respondió—. ¿Quieres ir a cenar a Elaine's?

—Llamó Dino y sugirió que nos encontráramos allí y lo mismo propuso Lance. Les dije que sí a los dos.

20

El Cadillac de Lance, con chapas patente diplomáticas, se encontraba estacionado frente a Elaine's, y el hombre del maletín con un agujero estaba de nuevo en el lugar de antes, bajo el toldo. Lance se bajó del automóvil casi al mismo tiempo en que Stone y Holly descendían del taxi. Todos se estrecharon las manos y, al entrar en el restaurante, Lance le susurró algo a Holly.

Antes de que tuvieran tiempo de instalarse frente a su mesa, Holly dijo:

—Lo siento, pero debo ir al baño.

Stone y Lance se sentaron.

—¿Tú la mandaste al baño? —preguntó Stone.

—Sí. ¿Cómo te fue en Londres esta mañana?

—¿Quieres decir que no lo sabes?

—Me gustaría oírlo de tus labios.

—Mentí por ella. Sabías que lo haría, ¿no?

—Quiero creer que recuerdas que no sólo no te pedí que mintieras sino que ni siquiera te dije cuál era la razón de tu viaje. Si alguien en posición de poder llegara alguna vez a hacerte preguntas sobre esa audiencia, espero que recuerdes mencionarle ese hecho.

—¿Es posible que alguien en posición de poder me haga preguntas?

—Como diría el inmortal Fats Waller, "Nunca se sabe, ¿no?".

—¿Conseguirá ella el empleo?

—Tendrá que realizarse una reunión de gabinete sobre el tema, pero tengo entendido que es más que posible. El testimonio que diste esta mañana era la prueba decisiva. Ella será la primera mujer en ocupar ese cargo. Sus credenciales son tan impecables como las de cualquier hombre que hubieran tomado en cuenta, incluyendo el hecho de que tanto su padre como su abuelo estuvieron en el servicio en tiempos de la Segunda Guerra Mundial.

—Sí, ella me lo mencionó en una ocasión.

—El padre libró sus batallas más que nada contra el IRA. El abuelo era el aventurero. ¿Ella te habló de él?

—No demasiado.

—Él pasó la mitad de su infancia en Francia —su padre era un diplomático asignado a la embajada de París—, así que hablaba el idioma con fluidez. Se lo incorporó no mucho después de la caída de Francia, con instrucciones de organizar y armar unidades de resistencia. La Gestapo lo capturó dos veces, con todo lo que eso significaba, y las dos veces él escapó. En ambas ocasiones él mató con las manos a varios de sus captores. El Día-D, unidades organizadas por él destruyeron caminos y vías de ferrocarril que los alemanes podrían haber utilizado para llevar refuerzos y armamentos al frente de batalla. Yo lo conocí en una oportunidad; era el perfecto caballero inglés: erudito, extremadamente cortés, y con fama de ser, durante la guerra, el asesino a sangre fría más temible que nadie pudiera recordar.

—Supongo que de él lo heredó Carpenter —dijo Stone.

—Si todo sale bien, y creo que así será, ella ya no será Carpenter sino el Arquitecto. Me gustaría que te mantuvieras en el contacto más estrecho posible con ella. Considéralo una misión.

—¿A la tarifa estipulada en mi contrato?

—No incluirá los llamados telefónicos, ya que no se te contrató como abogado, pero sí tomaré como parte de tu trabajo las veces que cenas con ella. Cualquier otra cosa se considerará un adicional.

Holly regresó del baño.

—¿Estuve ausente suficiente tiempo? —le preguntó a Lance.

—Sí —respondió Lance con una gran sonrisa—. Stone ya ha recibido sus instrucciones.

—Me alegro de haber sido de utilidad —dijo ella—. A propósito, ¿cuándo estaré realmente en servicio?

—Ten paciencia —dijo Lance—. Ya te llegará el momento.

—¿La paciencia es el atributo más importante de un agente? —preguntó Holly.

—No. La desconfianza lo es. Es preciso dudar de todos.

—Me parece una manera bastante corrosiva de vivir.

—Si tú lo dices...

Estaban pidiendo las bebidas cuando llegó Dino, con aspecto cansado. Se sentó y se aflojó la corbata.

—Un Johnnie Walker etiqueta negra doble —le dijo al camarero.

—¿Qué pasó? —preguntó Stone.

—Hoy mataron a un agente de policía en Little Italy.

—Espero que no en La Boheme —dijo Holly.

—No, pero no muy lejos de allí.

—¿Un agente encubierto? —preguntó Stone.

—No, un patrullero en servicio. Había estacionado su móvil policial y estaba tomando un café en un bar al paso, cuando alguien entró y le disparó un tiro en la nuca. Fue un asesinato, puro y simple.

—¿De un policía en servicio? —comentó Stone—. No me suena bien.

—Opino lo mismo. Quizás estamos en presencia del inicio de un ataque de pandillas o, tal vez, sólo de alguien que odia a los policías.

—¿Cómo es que estás involucrado en un hecho que queda tan lejos del centro? —preguntó Stone.

—En realidad no lo estoy. Yo estaba reunido con el jefe de detectives cuando entró la llamada, así que los dos acudimos a la escena. Y les presté a un par de detectives. ¿Cómo fue lo de Londres?

—Rápido. Fui y volví en el día.

—¿Viste a Carpenter?

—Hablé brevemente con ella.

—¿Qué estuviste haciendo allá?

—Eso tendrás que preguntárselo a Lance.

Dino miró a Lance.

—No es asunto tuyo —dijo Lance—. ¿Por qué no pedimos la comida?

—¿Tienes una descripción del tirador? —preguntó Holly.

—Blanco, sexo masculino, un metro ochenta o más de estatura, corpulento, cabello negro peinado con cola de caballo.

—Es Trini Rodríguez —afirmó ella.

—¿Por qué demonios habría él matado a un policía de la ciudad de Nueva York? —preguntó Dino.

—Por pura diversión —fue la respuesta de ella.

—Excúsenme —dijo Dino, se puso de pie y se alejó, con el teléfono celular contra la oreja.

Stone miró a Holly.

—Tus posibilidades de arrestar a Trini acaban de aumentar —dijo.

—No —respondió ella—. Aumentaron las de Dino. Ahora yo nunca podré llevármelo a Vera Beach.

21

A la mañana siguiente, Stone estaba desayunando cuando Holly y Daisy regresaron del parque.

—Esta mañana recibí un llamado en mi teléfono celular —dijo ella—. Mi ex amigo del FBI, Grant Harrison, está en la ciudad y quiere verme. Dice que es por negocios.

—Pues entonces, velo —dijo Stone—. ¿Quieres invitarlo a aquí?

—Le dije que nos reuniríamos para el almuerzo, pero que yo no conocía un buen restaurante.

—Dile que vaya a La Goulue, en Madison y la calle 75. Reservaré una mesa para ti.

—¿Tú también vendrás?

—¿Por qué?

—No lo sé. Es que no me siento cómoda con esto. Es menos probable que me grite si tú estás presente.

—Está bien, iré.

Grant Early Harrison se encontraba de pie frente a La Goulue cuando el taxi que los conducía se detuvo.

—Ése es él —dijo Holly y lo señaló.

Era más apuesto de lo que Stone había imaginado.

Se apearon del taxi y se le acercaron.

—Hola, Grant —dijo Holly—, éste es mi amigo Stone Barrington.

Grant le estrechó la mano mecánicamente.

—Pensé que te vería a ti sola.

—¿Qué te hizo pensarlo? —preguntó Holly—. De todos modos, puedes decir cualquier cosa frente a Stone. Él es también mi abogado.

Grant miró a Stone con severidad.

—¿Necesitas un abogado?

—No, en absoluto —respondió Holly.

Stone se mantuvo imperturbable.

—¿Entramos? —propuso.

Fueron recibidos por Suzanne y Stone la besó.

—Creo que tenemos reservada una mesa en el fondo —dijo.

—Por aquí —dijo ella y los condujo a la mesa.

—¿Este lugar suele llenarse de gente? —preguntó Grant.

—Dentro de quince minutos estará colmado —dijo Stone.

Pidieron vino de la casa y estudiaron el menú. Después de decidir qué comerían y de hacer el pedido, Grant dijo:

—Anoche recibí un llamado de nuestra oficina en Nueva York. El Departamento de Policía de Nueva York está buscando intensamente a Trini Rodríguez. ¿Qué tuviste que ver tú con eso?

—Al parecer, anoche Trini mató de un disparo a un policía de la ciudad de Nueva York, en un bar al paso de Little Italy —respondió Holly—. Y yo no tuve nada que ver con eso.

—¿Por qué creen que el que lo hizo fue Trini? —preguntó Grant.

—Bueno, con *eso* sí yo tuve algo que ver. La descripción del autor de esa muerte coincidía con la de Trini, y yo se lo mencioné a un detective del Departamento de Policía.

—Fantástico, te lo agradezco muchísimo.

—No me digas que no querías que nadie molestara a Trini. Caramba, no sabes cuánto lo lamento.

—Él está haciendo algo muy importante para nosotros.

—¿Y en el descanso para tomar un café no se le ocurrió nada mejor que matar a un policía?

—Tú no sabes si fue Trini.

—Y tú no sabes si él no lo fue.

—Él lo niega.

—¿De modo que hablaste con él?

Grant se dirigió a Stone.

—¿Qué papel juega usted en todo esto?

—Holly se hospeda en mi casa —dijo Stone— y en ocasiones la asesoro en cuestiones legales. Salvo eso, yo no tengo nada que ver con este asunto.

—Y es así como debe ser —dijo Grant—. No intervenga en esta cuestión.

—No metas a Stone en esto —dijo Holly.

—Es lo que trato de hacer.

—Dime exactamente por qué al FBI le interesa tanto mantener en la calle al asesino de un policía.

—Eso no estoy autorizado a decírtelo —respondió Grant.

—¿Lo que él está haciendo es más importante que la vida de los policías que patrullan las calles?

—Por supuesto que no.

—Entonces, ¿por qué no lo entregaste al Departamento?

—Sólo necesitamos uno o dos días más para terminar un asunto. En lo que a mí concierne, después pueden hacer lo que quieran con él.

—Será mejor que le ruegues a Dios que los periódicos no se enteren de esto —dijo Holly.

—¿Por qué? ¿Tú piensas pasarles la información?

—No había planeado hacerlo, pero...

—Eso pensé. Holly, si tú nos arruinas este caso, yo...

—¿Tú, qué?

—Epa, epa —dijo Stone—. Tranquilícense un poco, ¿sí? La gente nos mira.

Grant arrojó su servilleta sobre la mesa y se puso de pie.

—Si nos arruinas esto te acusaré de obstruir la justicia y es posible que también eche mano de ese asunto del dinero.

—¿Cuál asunto de dinero?

—Tus cinco millones de dólares.

—¿Cuáles cinco millones de dólares?

—Sólo recuerda lo que te dije —la amenazó Grant y salió del restaurante hecho una furia.

A Stone le pareció advertir que los demás comensales se sentían aliviados.

—¿Por qué hiciste todo lo posible para que se enfureciera? —preguntó.

—Me encanta enfurecerlo —respondió Holly.

Un camarero sirvió los tres almuerzos y se alejó.

—Holly, hablando ahora como tu ocasional abogado, Grant tiene razón acerca de no interferir en una investigación federal.

—Sí, claro. ¿Acaso crees que él va a arrestarme y dejar que se sepa que el FBI ha estado ocultando a un asesino de policías?

—Bueno, probablemente no.

—Eso no fue más que una bravuconada. Grant es un gran fanfarrón.

—Apuesto a que sobre todo lo es contigo. ¿Y está enterado de lo del dinero?

—Creo que lo supo casi desde el día en que yo lo puse en el árbol.

—¿Sabe él en cuál árbol?

—No, no tiene ni idea. Ni siquiera puede probar que existe y, aunque pudiera probarlo, le costaría mucho explicar cómo es posible que lo haya sabido desde hace meses y no lo haya denunciado. No te preocupes, Grant no va a hacer nada que le cause problemas a él.

—Holly, lo he estado pensando y creo que deberías dejar el dinero en ese árbol.

—¿Y aguardar a que el supuesto leñador lo encuentre?

—Si alguien lo encuentra, entonces tú podrás confiscarlo como el fruto de un delito.

—Cualquiera que lo encuentre sería un tonto si se lo cuenta a alguien.

—Y tú serías una tonta rematada si te acercas a ese árbol. En este momento estás limpia de culpa y cargo. Sólo Grant está enterado de este asunto y, como bien señalaste, es poco probable que se lo mencione a sus superiores. Pero si vuelves a ese árbol y tomas el dinero, siempre existe la posibilidad de que alguien te vea hacerlo o que alguna otra cosa negativa suceda. No puedes correr ese riesgo.

—Está bien, ya oí tu opinión al respecto. ¿Ahora podemos cambiar de tema, por favor?

—Sí, claro. ¿De qué te gustaría que hablemos?

—¿Te gusta el tema de cómo puedo llevar a Trini hasta el Departamento de Policía?

—Holly, será mejor que te olvides de Trini. Deja que ellos se ocupen de él y después podrás ponerte en la fila de quienes lo acusan.

—Que significa nunca.

—Esa descripción puede corresponder también a infinidad de otras personas. Sin duda lo sabes.

—Es Trini. Lo siento en los huesos.

—Si efectivamente es él, ¿no te daría lo mismo que lo condenaran a muerte en Nueva York o en Florida?

—No, para mí no sería igual. Quiero sentarme en la prisión de Florida y observar cómo le clavan la aguja.

—Dino puede conseguir que lo observes sentada también en Nueva York. ¿Eso no te bastaría?

—No. Quiero ser yo la que lo arreste.

—Tú misma quieres matarlo, ¿no es así?

—Si él me diera una excusa, sí que lo haría.

—¿No te das cuenta de que él tendría quizá más oportunidades de matarte a ti?

—Estoy dispuesta a correr ese riesgo.

—¿De modo que vas a seguir persiguiendo implacablemente a Trini?

—Hasta el momento en que alguien lo arreste en la calle, que confío seré yo. —Holly apartó su plato vacío y comenzó a devorar el almuerzo de Grant.

22

S tone se disponía a pedir la cuenta cuando vio que Lance se dirigía a su mesa.

—¿Tienen inconveniente en que los acompañe? —preguntó y se sentó en la banqueta que había junto a Holly.

—Acabamos de terminar de almorzar —dijo Stone.

—No los distraeré mucho tiempo. Pero permítanme que les convide el café. —Para la alegría de Stone, Lance estaba sentado demasiado cerca de Holly.

Apareció un camarero y Lance miró a Holly.

—Un cappuccino descafeinado —dijo ella.

—¿Stone?

—Un espresso doble. Cargado, por favor.

—Lo mismo para mí —dijo Lance.

—¿Cómo supiste dónde estábamos? —preguntó Holly.

—La CIA lo sabe todo —fue la respuesta irónica de Stone.

—Bueno, tal vez no todo —dijo Lance—. Si quieren que les diga la verdad, uno de mis hombres siguió al agente Harrison y me llamó.

—¿Y por qué persigue la CIA al FBI? —preguntó Stone.

—Ocurre que hemos llegado a esperar… ¿cómo diría?… cierta falta de franqueza en nuestros colegas del FBI —respondió Lance.

—¿Incluso después del 11 de septiembre? —preguntó Holly.

—Se han vuelto cada vez más abiertos y comunicativos con respecto a ciertas cosas precisamente desde el 11 de septiembre —dijo Lance—, y más cerrados con respecto a otras.

—¿Por qué? —preguntó ella.

—Porque son el FBI —respondió Lance.

—Eso ya lo sabía.

—Francamente, en parte debido a esta conducta, no espero que sobrevivan mucho tiempo como una entidad discreta.

—Oh, vamos —dijo Stone—. El Congreso nunca permitiría que el FBI expirara como entidad.

—Recuerden mis palabras: el Congreso insistirá en ello —fue la respuesta de Lance—. Se han vuelto demasiado tortuosos para su propio bien. Cuando los funcionarios de jerarquía comienzan a mentirles a las comisiones del Congreso, el FBI no sostiene precisamente su propia longevidad.

Stone bufó.

—¿Mientras que el Congreso espera que la CIA diga la verdad?

Lance asintió con seriedad.

—Desde luego que no. Sencillamente esperan cierta falta de franqueza, dado el trabajo que hacemos.

—¿Por qué estás aquí, Lance? —preguntó Stone—. Seguramente no por el café.

Lance bebió un sorbo del pocillo que le habían puesto delante.

—Tengo muy buenas razones para estar aquí —dijo y miró en todas direcciones—. Siempre me gustó este lugar. Es como París, pero sin los franceses.

Holly se echó a reír, pero Stone se mantuvo serio.

—Vamos, dilo de una buena vez.

—Vine sencillamente para sugerirles que esta tarde miren el informativo de las seis.

—¿Por qué?

—No querrán que les quite el suspenso contándoselos de antemano, ¿no?

—Es verdad —dijo Stone—. Por otro lado, no podrías disfrutar viendo la expresión de nuestras caras.

—Sí, además está eso —dijo Lance, sonriendo—. Bueno, está bien. En el informativo local de esta tarde se enterarán de que la muerte de un policía en Little Italy fue el resultado de una bala perdida disparada en la calle y no una ejecución.

Stone y Holly lo miraron, estupefactos.

—Tienes razón, Stone. La expresión de ustedes dos valió la pena —dijo Lance.

—Dime una cosa —dijo Holly—, ¿cómo se obtiene la descripción del tirador por parte de un testigo en un incidente casual?

—Una pregunta excelente —dijo Lance.

—Entonces, ¿quién está manipulando a los medios y por qué? —preguntó Stone.

—Una pregunta aún más excelente. Mírenlo de esta manera. ¿Quién se beneficia con la percepción alterada del incidente?

—Trini Rodríguez —saltó enseguida Holly.

—Por supuesto, pero no solamente Trini.

—Creo que voy entendiendo —dijo Stone.

—Explícanos, entonces.

—Si el policía murió como resultado de una bala perdida, entonces el Departamento ya no investiga una ejecución sino un accidente, un homicidio sin premeditación en lugar de un asesinato.

—¡Excelente!

—¿Entonces qué? —dijo Holly.

—Los detectives pertenecientes a otros Departamentos serán enviados de vuelta y la investigación se volverá menos intensa —explicó Stone—. Y eso le quita mucha presión a Trini, al menos por el momento.

—¿Pero por qué habría el Departamento de Policía de Nueva York de querer quitarle presión al asesino de un policía? —preguntó Holly.

—No el Departamento —acotó Lance—, sí el FBI.

—Perdón —dijo Holly—, pero esto es demasiado sofisticado para mi mente simple.

—Tienes una mente excelente, Holly —dijo Lance—, pero no tan tortuosa como la de la superchería colectiva del FBI.

—Holly —dijo Stone—, Grant acaba de decirnos que Trini sólo seguirá siendo importante para el FBI durante un par de días más.

—¡Exacto! —dijo Lance.

—¿Así que ellos quieren a Trini en la calle sólo el tiempo suficiente para lo que el FBI quiere que él haga?

—¡Nuevamente exacto! —dijo Lance—. ¿Te gustaría saber qué está haciendo Trini para el FBI?

—Sí, por favor —replicó Holly.

—Debo recordarles que ustedes dos son, cada uno a su manera, brazos de la CIA y, como tales, no les está permitido revelarle a nadie lo que estoy a punto de decirles.

Stone suspiró.

—Concretamente, no deben contárselo a Dino —dijo Lance.

—¿Por qué no? —preguntó Holly.

La contestación se la dio Stone.

—Porque Dino pertenece al Departamento y lo enfurecería enterarse de que el FBI está interviniendo en la investigación de la muerte de un policía para sus propios fines, y es posible que eso lo lleve a intervenir.

—Exactamente —dijo Lance—. ¿Ahora ya estamos todos de acuerdo?

Stone y Holly asintieron.

—Bien —dijo Lance y miró en todas direcciones para estar seguro de que ninguno de los comensales de ese restaurante atestado de gente pudiera oírlo—, parece que, de alguna manera, nuestro Trini convenció al FBI de que existe una conexión financiera entre sus amigos pandilleros y cierta fraternidad terrorista del Oriente Medio, cuyo nombre no escapará de mis labios.

Stone sacudió la cabeza.

—¿La Mafia financia una organización terrorista? Imposible.

—Stone, olvidas que, en menor medida, la Mafia es una organización terrorista, y que sus lealtades cambian cuando se trata de ganar dinero.

—No, Lance, la pandilla es, como tú mismo dijiste, un grupo de tipos patrióticos que agradecen mucho las oportunidades que los Estados Unidos les han brindado de ser ricos: robando, extorsionando y matando.

—Tienes algo de razón, Stone. Quizá sucede que la pandilla se ha enterado de un pequeño secreto, y se le ha dado la oportunidad de hacer algo patriótico.

—¿Y qué sería eso patriótico? —preguntó Holly.

—Los muchachos tienen muchas conexiones para el lavado de dinero que nuestros amigos del Oriente Medio ambicionan. Puesto que el Departamento del Tesoro ha tomado medidas enérgicas con respecto a las transferencias realizadas por cable a locales sospechosos, y puesto que la Agencia Nacional de Seguridad ha incrementado en gran medida la vigilancia de los teléfonos satelitales y celulares del Oriente Medio, para no mencionar la penetración de sus sitios web, se ha vuelto mucho más difícil para ellos mover el dinero por el mundo. Por otro lado, el mayor escrutinio de terroristas ha tenido el efecto beneficioso, para la mafia, de distraer la atención de sus propias transacciones financieras.

—Supongo que, a su manera retorcida, tiene sentido —dijo Stone.

—No para mí —dijo Holly.

—Míralo de esta manera —dijo Lance—. ¿Estarías tú dispuesta a postergar tu persecución a Trini Rodríguez durante un par de días, si el resultado fuera la destrucción de una célula terrorista de manejo de dinero y la confiscación de una parte importante de su efectivo disponible?

Holly clavó la mirada en su cappuccino.

—Si no tuviera más remedio, supongo que sí.

—¡*Voilà*! —exclamó Lance—. ¡Una patriota!

—¿Y qué sucederá cuando la operación termine? —preguntó Holly.

—Entonces —contestó Lance—, yo podría ayudarte a lograr tu objetivo.

—¿Lo juras? —exigió saber Holly.

—Juro intentarlo —dijo Lance—. Me temo que tendrás que contentarte con eso.

—De acuerdo, está bien —dijo Holly.

23

Stone usó su llave para que ambos entraran en la casa y luego cerró la puerta.

—Pon algunas cosas en una valija —dijo—. Ropa informal: jeans, etcétera, algo que puedas usar en un buen restaurante, pero que al mismo tiempo sea informal.

—¿Adónde vamos? —preguntó Holly.

—Nos vamos de aquí por el fin de semana. A Daisy le encantará.

—Eso es suficiente para mí —dijo Holly.

También Daisy pareció complacida al oír la noticia.

Previamente Stone había entrado el Mercedes marcha atrás en el garaje. Activó el control remoto y, cuando el portón terminó de abrirse, él ya había encendido el motor y puesto primera. Bajó a la calle con cautela y luego giró hacia la Tercera Avenida, avanzando lo más rápido posible y observando cada tanto por el espejo retrovisor. Con el control remoto había cerrado la puerta del garaje.

—¿Por qué nos vamos de la ciudad? —preguntó Holly.

—En primer lugar, es el fin de semana, y los neoyorquinos abandonan la ciudad los fines de semana. Segundo, es bueno para Daisy. Tercero, necesito un poco de aire rural. Y cuarto, para evitar que te metas en problemas durante el próximo par de días.

—¿Y por qué crees que necesito que te ocupes de que yo no me meta en problemas?

—Sé muy bien que si este fin de semana nos quedamos en la ciudad te pondrás a buscar a Trini. No podrás evitarlo.

—Dije que por un par de días no interferiría. ¿Por qué miras todo el tiempo por el espejo retrovisor?

—Por seguridad —contestó Stone—. Los neoyorquinos conducen con mucha prudencia.

—No por lo que yo he visto. ¿Quién crees que puede estar siguiéndonos?

—Quizá los dos hombres que vigilaban la casa.

—¿Qué?

—Había dos hombres apostados en la manzana: uno en la acera de enfrente, con una chaqueta negra de cuero, y otro a unos pocos edificios del mío, de overol azul, que miraba la vidriera de una tienda.

—¿Qué tiene de extraño que un hombre mire un escaparate?

—Que ésa es una tienda especializada en artículos para tejer y coser —explicó Stone.

—A lo mejor al tipo le gusta tejer.

—Con suerte, quizás era del FBI. Pero también existe la posibilidad de que sea amigo de Trini.

—¿Cómo sabría Trini dónde encontrarnos?

—¿No recuerdas haber estado persiguiéndolo por toda Little Italy?

—Sí.

—Quizás eso lo molestó. Puede que un amigo suyo haya anotado el número de la chapa patente de mi automóvil cuando estuviste estacionada frente a La Boheme.

—Ah.

Stone dobló a la izquierda en la calle 65 y un momento después atravesó Central Park. Daisy observó con nostalgia tanto césped y tantos árboles.

—No te preocupes, chiquita —le dijo Holly—. Ya te vamos a encontrar un lugar para que juegues. —Miró a Stone.— Eso haremos, ¿verdad que sí?

—Sí —respondió Stone—. Con muchos árboles y césped.

—¿Cuánto falta para eso?

—Alrededor de una hora y cuarenta y cinco minutos, siempre y cuando no haya demasiado tráfico. En caso contrario, ¿quién puede saberlo? —marcó un número en el teléfono del automóvil.

—Posada Mayflower —dijo una voz femenina en el otro extremo de la línea.

—Hola, habla Stone Barrington. Quisiera reservar una mesa para dos para las ocho de la noche.

—Por supuesto, señor Barrington. Hasta entonces.

—¿Vamos a ir a una posada rural?

—Sólo para la cena —Stone dobló a la derecha hacia

Central Park Oeste y luego hacia la izquierda en dirección a la calle 72.

—¿Por qué no quieres decirme adónde vamos? —preguntó Holly.

—¿Qué te pasa? ¿No te gustan las sorpresas?

—Me gustan cuando son agradables y cuando suceden de pronto —respondió Holly—. Pero no cuando tengo que tratar de adivinarlas durante una hora y cuarenta y cinco minutos.

—Daisy no está preocupada.

—Sí que lo está. Sucede que es muy educada y no lo demuestra.

—Entonces imítala.

—Está bien, cerraré la boca —dijo Holly y se recostó en el apoyacabezas.

Stone encendió la radio, oprimió un botón que sintonizó la emisora ubicada en el 96.3 de FM y la música clásica inundó el vehículo.

—Mozart —dijo.

—Ya lo sé.

Dobló en la autopista Henry Hudson Parkway y luego metió la mano debajo del tablero de instrumentos y tocó algo. Enseguida se oyó un fuerte pitido, acompañado de luces rojas intermitentes. Un instante después reinó el silencio.

—¿Qué fue eso?

—Mis fabulosos detector de radares y difusor láser.

Ella se inclinó y observó el velocímetro mientras él cambiaba de carril y aceleraba.

—Si estuviéramos en Florida, te arrestaría.

—Lo mismo me sucedería en Nueva York, si mi detector no funcionara. ¿Eso te haría feliz?

—Muy feliz. Me gusta que se haga justicia.

—Gracias.

—De nada.

Muy pronto avanzaban por las curvas del Saw Mill River Parkway.

—¿Los detectores de radares no son ilegales en el estado de Nueva York? —preguntó ella.

—Eso no te lo voy a responder sin un abogado presente.

—Hay un abogado presente.

—Sí, claro. Mi abogado acaba de aconsejarme no contestar. De todos modos, ya estamos saliendo.

—¿Quieres decir que vamos a otro estado?

—Cuando se vive en la ciudad de Nueva York, otros estados no quedan demasiado lejos.

—¿Alguna vez oíste hablar de la Ley de Mann, también conocida como Ley contra la Prostitución?

Él se echó a reír.

—¿Acaso crees que te estoy haciendo atravesar la frontera del estado con propósitos inmorales?

—Eso espero —fue la respuesta de Holly.

Doblaron a una ruta interestatal y luego, al cabo de unos minutos, a otra. Veinte minutos después avanzaban por caminos rurales flanqueados por bosques.

—Estamos en Connecticut —dijo ella.

—¿Reconociste los árboles?

—No. Me lo indicó un cartel que había algunos kilómetros atrás y que decía "Bienvenidos a Connecticut".

—Con razón eres tan buena policía.

—No es mucho lo que se me pasa por alto —afirmó ella.

Holly dormitó un rato y despertó cuando llegaron a una señal de alto.

—¿Dónde estamos?

—Todavía en Connecticut, en un pueblo llamado Washington. —Stone dobló a la izquierda, luego treparon por una colina escarpada y después viró nuevamente a la izquierda al llegar a una iglesia blanca.— Éste es el parque del pueblo —dijo Stone. Un momento más tarde dobló en un camino de entrada y estacionó delante de una cabaña de guijarros con una torrecilla.

—¿Quién vive aquí? —preguntó Holly.

—Yo, cuando puedo.

Se apearon del automóvil y Daisy enseguida enfiló hacia algunos arbustos. Stone bajó las maletas y abrió la puerta del frente de la cabaña.

—Bienvenida a Washington —dijo.

—Es preciosa —dijo Holly, entró en la cabaña y paseó la vista por el lugar. Daisy se unió a ellos y pareció dar su aprobación—. ¿Quién la decoró?

—Bueno, busqué algunos asesoramientos —dijo Stone.

—Quieres decir varias mujeres.

—Ahora prepararé unos tragos para nosotros y después llevaremos a Daisy a pasear por la propiedad de al lado.

—¿No le importará a su dueño?

—Él está ausente. Allí solía vivir un escritor, pero le vendió la propiedad a un productor, quien nunca se mudó. Ahora está nuevamente en venta.

—¿Cuánto cuesta?

—Tú no podrías comprarla.

—Olvidas que tengo 5.760.000 dólares guardados en un árbol.

—Esa suma podría alcanzarte, pero no te quedaría nada para impuestos. Esta cabaña solía ser para el guardia, pero hace 50 años las propiedades se dividieron. ¿Un bourbon?

—Espléndido.

Él le preparó la bebida y se la alcanzó.

—Ahora quiero que respires hondo tres veces.

Ella lo hizo.

—Ahora bebe y deja de pensar en lo que hay en Nueva York.

—¿Esos tipos nos siguieron?

—No lo creo. En mi opinión, no esperaban que nosotros abandonáramos la ciudad.

—Tampoco yo lo esperaba —dijo ella mientras bebía su bourbon.

24

Stone condujo a Holly y a Daisy a través de una abertura en el cerco y los tres salieron a un amplio parque decorado con magníficos árboles añosos frente a una enorme casona de aspecto confortable.

Daisy echó a correr de aquí para allá, a olisquear el terreno y a meter la nariz en los arbustos.

—Yo podría vivir aquí —comentó Holly.

—También yo, pero nunca seré suficientemente rico como para hacerlo.

—¿No hay ninguna esperanza?

—Me temo que no.

—¿No podríamos romper el vidrio de una ventana y ver el interior de la casa?

—Me estás sugiriendo una violación de la propiedad? ¿Tú, una integrante de las fuerzas del orden? Como tu abogado, te aconsejo que no lo hagas.

—Bueno, está bien.

Daisy había descubierto la enorme piscina y olisqueaba los arbustos que había alrededor, cuando un ciervo emergió del bosque y atravesó el parque, haciendo que Daisy huyera hacia Holly.

—Ella nunca ha visto a un ciervo —dijo Holly, riendo—. No te preocupes, preciosa —dijo y palmeó a su perra—, yo no permitiré que ese ciervo malo te haga nada.

Después de una caminata de media hora dejaron a Daisy en la casa con su cena y fueron en el automóvil a la Posada Mayflower.

—¿No cierras con llave la puerta? —preguntó Holly.

—No hace falta, éste es un lugar muy tranquilo.

Pasaron junto a un estanque y subieron por una cuesta pronunciada para emerger finalmente junto a un enorme edificio con fachada de piedras y amplios porches a cada lado.

—Es una hermosura —dijo Holly—. Me recuerda la casa que acabamos de ver. ¿Cómo se llamaba?

—Las Rocas. Pertenecía a un arquitecto llamado Ehrick Rossiter, quien diseñó 27 casas y edificios públicos en este pequeño pueblo, 22 de los cuales existen todavía. El Mayflower es uno de ellos y ha sido sometido a una renovación maravillosa.

Stone y Holly se ubicaron frente a una mesa que daba al parque y al jardín posterior, que estaba rodeados de árboles antiguos.

—Dime, ¿una casa en el campo forma parte de vivir en Nueva York? —preguntó Holly.

—Sí, una parte muy importante. Muchas personas tienen casas en el extremo este de Long Island, en los Hamptons, pero ese lugar es demasiado caro y está demasiado atiborrado de gente para mi gusto. Washington es un pueblo perfecto y, tal vez, el más hermoso de Connecticut, el paisaje es precioso y su gente es interesante.

—En Florida nadie tiene una casa de campo —dijo Holly—. Me pregunto por qué.

—Porque no existe demasiado contraste entre la primera casa y la segunda.

—Tal vez tengas razón.

Cenaron ensaladas, chuletas de ternera y una botella de Cabernet California. El camarero acababa de servirles café cuando de pronto Holly se enderezó en su silla.

—Algo está mal —dijo.

—¿No te gustó la comida?

—No, no es eso. Algo está mal en la casa.

—¿Eres telépata?

—No, pero tal vez Daisy lo sea. Tenemos que irnos.

Stone firmó la cuenta y corrieron de vuelta al automóvil.

—¿Esta clase de cosas te sucede muy seguido?

—No, no me pasó nunca, pero lo que estoy sintiendo es muy fuerte. Acelera.

Stone lo hizo y cinco minutos después ingresaron en el camino de acceso y se apearon del vehículo. La puerta de la cabaña estaba abierta de par en par.

—Yo no dejé la puerta abierta, ¿y tú?

—No, tampoco. ¿Dónde está Daisy?

Llegaron a la puerta y encontraron a Daisy sentada en el vestíbulo con la vista fija en la puerta. El animal corrió hacia Holly.

—Hola, preciosa —le dijo Holly—. ¿Qué es lo que pasa?

Stone se agachó y tomó un trozo de tela azul manchada de sangre.

—A alguien le falta un pedazo de sus pantalones —dijo—. ¿Tienes mi Walther en el bolso?

Ella la buscó y se la dio.

—No creo que pueda haber alguien todavía aquí, no con Daisy sentada muy tranquila en el vestíbulo. A menos que nuestro intruso esté muerto.

—Por lo visto sangró —dijo Stone y le entregó a ella el trozo de tela ensangrentada—. Sólo quiero estar seguro —la dejó en el vestíbulo con Daisy, revisó la casa, regresó y le dio el arma a Holly—. No hay moros en la costa.

—¿De quién crees que es esto? —preguntó Holly blandiendo la tela.

—Uno de los hombres que había cerca de mi casa en Nueva York usaba un overol azul —dijo Stone y tomó el trozo de tela—. Y creo que era de esta misma clase de tela.

—Esto no me gusta nada. —dijo ella.

—Tampoco a mí —contestó Stone.

Más tarde, en mitad de la noche, Stone despertó. Había oído un ruido en la planta baja. Se levantó y, para no despertar a Holly, buscó sigilosamente en su bolso hasta encontrar la Walther, y después bajó por la escalera en puntas de pie y revisó el resto de las habitaciones. Nada.

Regresó al hall de entrada y se agachó para recoger el trozo de tela azul que, al parecer, Holly había dejado allí. Al hacerlo, algo helado hizo contacto con sus nalgas desnudas. Lanzó un grito involuntario y, al girar sobre sus talones vio a Daisy parada allí, mirándolo como si estuviera loco.

—Tienes una nariz muy fría —le dijo mientras le acariciaba la cabeza.

—¿Qué está pasando? —preguntó Holly desde la escalera. Bajó para reunirse con Stone, tan desnuda como él e iluminada por la luz de luna que se filtraba por las ventanas.

—Oí un ruido procedente de aquí abajo —explicó Stone—, y vine a investigar.

—Debe de haber sido Daisy. Ella suele patrullar la casa durante la noche.

—Tiene una nariz helada —dijo Stone y se frotó el trasero.

Holly se rió con ganas.

—Ya lo creo, y le encanta meterla donde no debería. No te preocupes, no hay nadie en la casa. De lo contrario Daisy nos lo habría avisado.

Stone la miró de arriba abajo.

—Estás preciosa a la luz de la luna.

Ella le puso una mano sobre el pecho.

—A ti también te sienta bien —dijo ella—. Daisy, vigila.

Daisy fue a sentarse junto a la puerta y Holly tomó a Stone de la mano y lo condujo al piso superior. Le sacó la pistola y la dejó caer en su bolso; luego se aproximó a la cama, se acostó y acercó a Stone.

—Ya que estamos despiertos —dijo y cerró las piernas alrededor de él.

—Qué curioso —dijo Stone—, ya no tengo nada de sueño.

Ella bajó la mano y lo guió para que la penetrara.

—Me alegra saberlo —dijo Holly, y empujó su cuerpo contra el de él.

25

Cuando despertó, Stone encontró a Holly tumbada sobre su pecho. Con suavidad, la fue empujando hasta dejarla acostada de espaldas junto a él.

—¿Estoy despierta? —preguntó Holly con los ojos aún cerrados.

—Probablemente no.

—Pues yo creo que sí. Y tú también debes de estarlo.

—Creo que esta mañana deberíamos volver a la ciudad —dijo él.

—¿Por qué?

—No me gusta la idea de que alguien nos haya seguido hasta aquí, sobre todo porque no sé cómo ni por qué.

—Ahora que lo pienso, tampoco a mí me gusta.

—Tengo la sensación de que me sentiría mejor en la ciudad. No sé bien por qué.

—Yo confío en tu juicio.

Stone se duchó, se vistió y preparó huevos revueltos, mientras Holly llevaba a Daisy a su paseo matinal alrededor de la propiedad contigua.

Cuando terminaron de desayunar metieron sus cosas y a Daisy en el Mercedes y partieron.

—¿Por qué conduces tan rápido? —preguntó Holly.

—Porque me gusta conducir rápido; porque, por una vez, no tengo nadie adelante en estos caminos; y porque si esas personas todavía nos siguen, no quiero facilitarles las cosas.

—Todas buenas razones —dijo ella—. De todos modos conduces muy bien, y no veo por qué cualquiera debería hacerlo despacio. ¿Alguna vez te multaron por exceso de velocidad?

—No, siempre y cuando lleve puesta mi placa.

—¿Ah, sí? Déjame verla.

Stone metió la mano en un bolsillo interior de la chaqueta y extrajo la billetera, donde tenía su cédula de identidad y una placa.

—No es la original —le dijo a Holly al entregársela—. Es una copia. La mayoría de los policías jubilados tienen una.

—En la parte de abajo de tu cédula de identidad dice "jubilado" —dijo ella—, pero en letra muy pequeña.

—Uno aprende a tapar esas palabras con el dedo cuando muestra el documento —dijo Stone.

—¿Esto te autoriza a portar armas?

—No, pero el Departamento da un permiso cuando uno se jubila. Está en la billetera, detrás de la cédula de identidad, junto con una licencia de portación de armas de Connecticut.

Holly los miró.

—¿Llevas muchas encima?

—No muchas y sólo cuando una situación me pone nervioso.

—Me cuesta imaginarte nervioso.

—Está bien, me corrijo. Cuando algo me intranquiliza.

—Eso armoniza más contigo.

Doblaron a la interestatal al norte de Danbury y Stone alcanzó a ver un vehículo utilitario negro a un kilómetro y medio detrás de ellos.

—Allí están —dijo.

Holly no miró hacia atrás.

—¿Qué automóvil manejan?

—Un utilitario negro, probablemente un Explorer.

—Eso parece más como gente del gobierno, no un vehículo que manejarían los amigos de Trini.

—Tal vez tengas razón. Después de todo, tu novio está furioso; tal vez te está vigilando.

—Seguro que está celoso —dijo ella y le puso una mano en el muslo.

—Espléndido.

—¿Disfrutas de irritar al FBI?

—Siempre.

—¿Qué tienes contra ellos? —preguntó Holly.

—Los considero poco confiables. Cuando tuve que trabajar con ellos, siempre querían el mérito del arresto y la prensa, y por lo general lo conseguían. No solían compartir la información y, cuando lo hacían, uno no podía confiar en que fuera exacta.

—Eso también resume bastante mi experiencia con ellos —dijo Holly—. ¿Por qué supones que son así?

—Creo que es la cultura federal. Ellos creen estar en el pináculo de las fuerzas del orden, y tienden a menospreciar a cualquiera del nivel local, como si fueran niños retrasados mentales.

Ella se echó a reír.

—Tampoco me parece que sirvan mucho para solucionar crímenes.

—Stone, estás conduciendo a casi 160 kilómetros por hora.

—Es domingo por la mañana y hay poco tráfico.

—¿Este automóvil no atrae a los policías como moscas?

—Si están cerca, y si están con ganas de realizar una persecución.

—¿El Explorer todavía nos sigue?

Stone miró por el espejo retrovisor.

—Hasta el momento, sí. —Salió de la I-84, tomó una larga curva a toda velocidad y dobló a la I-684.— Pocos kilómetros más allá hay un lugar donde los policías del estado de Nueva York suelen acechar con su radar encendido —aceleró un poco más.

—Acabas de superar los 190 kilómetros por hora —dijo ella.

—No te preocupes. La velocidad de este auto está limitada electrónicamente a los 248.

—Oh, qué bien —dijo ella—. Ahora me siento más tranquila.

Sonó un "bip" y una luz roja comenzó a titilar en la columna de dirección.

—¿El detector de radares?

—Sí.

—¿Por qué no reduces la marcha?

—Quiero intentar algo —dijo Stone y señaló hacia adelante—. Ahí están.

Un vehículo policial estatal se encontraba estacionado en la banquina, con un radar asomando por la ventanilla.

Stone tomó su billetera, bajó un poco el vidrio de la ventanilla y sostuvo su placa hacia afuera, lo cual produjo el ruido de un torbellino. Pasaron como una exhalación junto al patrullero policial y entonces Stone levantó la ventanilla y observó por el espejo retrovisor.

—No se han movido —dijo—. Al menos, no todavía. Un momento, allí van los policías.

Holly miró hacia atrás.

—Están persiguiendo el Explorer —dijo.

—Supongo que ellos no les mostraron ninguna placa —dijo él y volvió a mirar por el espejo—. Sí, ya lo detuvieron —volvió a acelerar.

—224 kilómetros por hora —dijo ella—. ¿Siempre conduces a esta velocidad por la interestatal?

—Bueno, sabemos que todos los policías están muy ocupados con el Explorer —dijo Stone—, así que a menos que transmitan una orden por radio hacia algún punto más adelante, estamos completamente a salvo. Otra cosa: si los individuos del Explorer son del FBI, se comunicarán con alguien para que comiencen a seguirnos en el otro extremo. Eso ni se les cruzaría por la cabeza a los idiotas. —Siguió avanzando por entre el tráfico liviano y pasando vehículos que iban a 130 kilómetros por hora como si estuvieran detenidos.

En lo que pareció un tiempo increíblemente corto, doblaban hacia la calle de la casa de Stone.

—Hay dos tipos en los escalones de entrada al edificio —dijo Stone y soltó un poco el acelerador.

—¡Es Ham! —exclamó Holly—. ¿Qué está haciendo aquí?

—¿Quién es Ham?

—Mi padre.

—Dios Santo —dijo Stone.

—¿No quieres conocer a mi padre?

—El otro individuo que está con él es Herbie Fisher.

—¿Quién?

—El hombre que Lance me obligó a representar en el juzgado. Yo ya te hablé de eso.

—¿Qué quiere *él*?

—No quiero ni pensarlo.

26

H am Barker era más alto que Stone, y también más delgado. Stone le tendió la mano.

—Hola, Ham. Soy Stone Barrington.

—Mucho gusto en conocerlo.

—Herbie —dijo Stone—, ¿qué demonios haces aquí? Se supone que estás en las Islas Vírgenes.

—Se me ocurrió pasar por aquí a saludarte —dijo Herbie y le ofreció la mano.

Stone no se la estrechó.

—No hagas eso.

—¿Que no haga qué?

—Pasar por aquí.

—Pero, Stone…

Ham dijo:

—Stone, hay dos hombres en su manzana, vigilando esta casa.

—¡Dios mío! —exclamó Stone—. Herbie, ¡te buscan a ti! —dijo y le metió un billete de cien dólares en la mano—. Vete de aquí, ¡rápido!

—¿Adónde quieres que vaya?

—Ve a lo de tu madre, en Brooklyn. Seguro que no se les ocurrirá buscarte allí. ¡Vamos, vete de una vez!

Herbie echó a correr y un momento después había desaparecido.

—Lamento esto —le dijo Stone a Ham—. Herbie es un pelmazo, uno de esos individuos que cuesta sacárselo de encima.

—Estuviste rápido como un rayo —dijo Holly—. Ham, ¿qué haces aquí?

Stone recogió el bolso de Ham.

—Mejor hablemos adentro. Quizá los del FBI saben leer los labios.

—Ah, ¿eso es lo que son esos dos tipos? —preguntó Ham mientras abría la puerta con su llave y desconectaba la alarma contra robos.

—Sí —contestó Stone—. El novio de Holly contribuyó a que nos siguieran. ¿Dónde se hospeda, Ham?

—Todavía no lo sé.

—Aquí tenemos lugar para usted —oprimió el botón del ascensor y, cuando las puertas se abrieron, puso adentro el bolso de Ham—. Segundo piso, segunda puerta a su derecha.

—Bueno, muchísimas gracias —dijo Ham.

—Cuando esté instalado, baje y almorzaremos.

Ham entró en el ascensor e inició el ascenso.

—¿Todavía hay cosas tuyas en mi dormitorio? —le preguntó Stone a Holly.

—Algunas se están secando en el cuarto de baño. ¿Por qué?

—Porque si tu padre las ve, me doy por muerto. Es un asesino. Se le nota en la mirada.

—No digas pavadas, Stone. Ham sabe que soy una mujer adulta.

—Es un padre, y tú eres su pequeña; eso es todo lo que sabe. Mientras él esté aquí tú dormirás en tu propio cuarto. ¿Por qué crees que vino?

—No lo sé. Cuando baje se lo preguntaré.

—¿Por qué estás aquí, Ham? —preguntó Holly. Estaban comiendo pasta preparada por Stone.

—Alguien se metió en tu casa —respondió Ham.

—¿Qué?

—Fui a echar un vistazo a la casa y encontré la puerta de calle fuera de las bisagras. El lugar era un caos.

—¿Faltaba algo? —preguntó Holly.

—¿Cómo quieres que lo sepa? Trataron de abrir tu caja fuerte, pero no pudieron.

—Adentro no había nada muy importante, sólo algunos papeles y un par de armas de puño.

—Ah —dijo Ham y metió la mano en un bolsillo interior—. Te traje una, porque pensé que podrías necesitarla —dijo y le entregó una pistola pequeña.

—Una Sig-Sauer P232 —dijo ella al sopesarla—. Un arma excelente. Gracias, Ham.

—El cargador está lleno y hay un proyectil en la recámara. El resto de una caja de balas está arriba, para cuando lo necesites.

—¿Cómo hiciste para traer el arma?

—Les mostré mi placa a la compañía de aviación y declaré las armas. Estaban dentro de un pequeño estuche en el interior de mi bolso.

—¿Cuál placa? —preguntó Stone.

Ham colocó la billetera sobre la mesa.

—Stone la abrió.

—¿Teniente del Departamento de Policía de Orchid Beach?

—Ham es una especie de asesor —dijo Holly—, que recibe una retribución mínima.

—Buena idea. Hace que transportar armas de fuego sea más fácil, ¿verdad? ¿Cuál porta usted, Ham?

Ham metió la mano debajo de su chaqueta de tweed y puso una Beretta 9 mm sobre la mesa.

—¿Le puede acertar a algo con eso? —preguntó Stone.

—Con la vieja automática yo fui un experto tirador en el ejército —respondió Ham.

—Yo no podría ni darle a una pared con esa cosa —dijo Stone.

—Ham fue un experto con todas las armas que tenía el ejército —dijo Holly—. Es el mejor tirador del mundo.

Ham sacudió la cabeza.

—No. Soy el mejor tirador que tú conoces.

—Lo tendré muy en cuenta —dijo Stone mirando a Holly, quien le hizo una mueca.

—Pórtese bien con mi chiquita —dijo Ham.

Stone miró a Holly.

—¿Viste?

—Oh, Ham, cierra el pico —dijo Holly—. No espantes a todos los hombres que se me acercan.

—Sólo le dije que se portara bien —dijo Ham.

—Está bien, Ham —dijo Stone—. Lo entiendo.

—Bien. Por cierto, sus spaghetti están muy buenos —dijo.

—En realidad, son penne rigati.

—Para mí, todos son fideos —dijo Ham, se metió un bocado grande en la boca y se puso a masticarlo con expresión pensativa.

—¿Hiciste algo con respecto a mi casa? —preguntó Holly.

—Te compré una puerta nueva y la instalé. Ginny quedó limpiando la casa cuando yo partí para el aeropuerto.

—¿De modo que viniste aquí a rescatarme?

—Se me ocurrió que podías necesitar a alguien que te cuidara las espaldas.

—Parece que eso lo están haciendo los del FBI —señaló Stone—. Después de todo, ella es la que está persiguiendo al testigo de ellos.

—¿Tuviste suerte? —preguntó Ham.

—Lo vi un par de veces, pero se me escapó.

—¿Quieres que yo lo atrape por ti?

—Es un poco más complicado que eso, Ham. El FBI está involucrado en el asunto, y también lo está la Mafia. Grant está aquí. Por eso esos hombres están en la calle. También nos siguieron a Connecticut.

—Supongo que ese muchacho siente hacia ti un interés de tipo propietario.

Stone se echó reír, y Holly lo fulminó con la mirada.

—No te preocupes, es pura cuestión de negocios.

—Me gustaba, hasta que empezó a dirigir la oficina de Miami —dijo Ham—. Después de eso, se convirtió en un burócrata más.

—Eso es lo que he oído decir —replicó Stone.

—Dígame, Stone, ¿quién demonios es usted? —preguntó Ham.

—Soy abogado —contestó Stone.

—Ah.

—No lo tomes tan mal, Ham —dijo Holly—. También es un policía retirado.

—Me parece un poco joven para estar jubilado, ¿no?

—Tengo una bala en la rodilla —dijo Stone.

—Ajá —dijo Ham—. Debe ser muy doloroso.

—Sí, claro.

—Ya veo que dentro de un minuto los dos van a empezar a comparar sus cicatrices —dijo Holly.

—¿Quien era ese tal Herbie? —preguntó Ham.

—Un ex cliente y un tipo insoportable —respondió Stone.

—Es un hombre peligroso.

—¿Por qué lo dice?

—Es algo que se huele de lejos. Es un tipo capaz de venderlo para salvar su propio trasero.

—Por lo visto es usted un excelente juez de carácter, Ham.

—Entrené a muchos jóvenes en el ejército. Así uno llega a saber qué esperar de ellos.

Sonó el timbre de la puerta. Stone levantó un teléfono, oprimió algunos botones y escuchó un momento.

—Adelante —dijo al presionar otro botón. Miró a Holly—. Es Lance.

—¿Quién es Lance? —preguntó Ham.

—Le diré lo que haremos, Ham —dijo Stone—. Se lo presentaré y usted me dirá cómo es.

27

ance entró en la cocina vestido con suéter amarillo de cachemira con cuello alto, chaqueta de tweed, pantalones de sarga y botas cortas de piel de cocodrilo. Podría haber sido una estrella de cine que venía de visita. Se hicieron las presentaciones de rigor y él tomó asiento. Daisy se le acercó y lo olisqueó. Lance le rascó la cabeza y después no le prestó más atención.

—¿Qué sucede? —preguntó Lance.

—Los del FBI nos tienen acorralados —contestó Stone—. Ayer nos siguieron a Connecticut y ahora están apostados allí afuera.

—Bueno —dijo Lance—, supongo que es su forma de reaccionar frente a la cacería de Holly, que trata de arrestar a alguien de sus filas.

—Su asesino —dijo Holly.

—¿O existe alguna otra razón para que se muestren interesados en ustedes dos? —preguntó Lance.

—Contesta eso tú, Holly —dijo Stone.

—Bueno, un tipo con el que salí algunas veces trabaja para ellos y me siguió hasta aquí.

—Tú vivías con él —dijo Ham.

La cara de Holly se encendió.

—Herbie estaba aquí cuando regresamos —dijo, tratando de protegerse.

Lance lanzó un pequeño gruñido.

—Stone, me gustaría que te hicieras cargo de tu cliente.

—Él ya no es mi cliente, Lance. Tú lo mandaste a Saint Thomas, ¿recuerdas?

—Sólo que él no embarcó.

—Eso no es culpa mía.

—¿Adónde se fue ahora?

—Le di algo de dinero y le dije que fuera a la casa de su madre, en Brooklyn.

Holly se echó a reír.

—Stone le dijo que a ellos jamás se les ocurriría buscarlo allí. Y me parece que se lo creyó.

—Si hay algo que aprendí de Herbert —dijo Lance— es que nunca hay que esperar que haga lo que se le dice.

Ham asintió.

—Conozco a esa clase de personas.

—Usted es un ex integrante del ejército —dijo Lance.

—Sí.

Lance lo miró con frialdad por un buen rato.

—Yo leí su registro de servicios —dijo.

Ham pareció un poco sorprendido.

—¿Eso hizo?

—Así es. ¿Quiere dispararle a alguien por mí?

—¿En quién está pensando?

—En Herbie.

Ham rió por lo bajo.

—Entiendo el porqué, pero él todavía no me parece que sea una amenaza para la seguridad nacional.

—¿Le dispararía usted si yo le dijera que sí lo es?

—Si usted me dijera eso, yo no le creería.

—¿Por qué no?

—Porque creo saber para quién trabaja usted, y los hombres que están en su línea de acción sólo dicen la verdad en muy raras ocasiones.

Lance se rió.

—Usted nos juzga con demasiada severidad, Ham. Pero, bueno, ha tenido algo de experiencia con nosotros en Vietnam.

—Así es.

—Yo era demasiado joven para ese lío espantoso —dijo Lance—, y me alegro. Pero usted no debería juzgarnos ahora por la forma en que actuamos en aquel entonces. Podría resultarle satisfactorio trabajar de nuevo con nosotros.

—Lance nos está reclutando —dijo Stone.

Ham sacudió la cabeza.

—No, gracias. Si quiere que alguien muera de un disparo, hágalo usted mismo.

—Hace un momento yo hablaba metafóricamente —dijo Lance.

—No es así —respondió Ham.

Stone se sintió orgulloso de él.

Por un instante fugaz, Lance pareció irritado, pero luego se distendió.

—Holly, vine a decirte que pasarán uno o dos días más antes de que puedas ponerle las manos encima a Trini Rodríguez sin que eso provoque una reacción intensa e indebida en el FBI.

—Demonios —dijo Holly—. Me estoy impacientando. Ham, ¿tú quieres dispararle a Trini por mí?

—¿A él? Sería un placer. Lo único que tienes que hacer es señalármelo.

Stone no supo bien si hablaban en broma o en serio.

—Un momento —dijo—. No necesitamos un tiroteo en las calles de nuestra ciudad.

—No sería un tiroteo —dijo Ham—, sino sólo un único disparo. —Formó una pequeña pistola con los dedos e hizo el ademán de dispararla.

—¿Por qué no lo pensé? —dijo Lance.

—Porque no tienes nada que ganar con ello —replicó Stone.

—En eso tienes algo de razón —reconoció Lance. Se puso de pie—. Bueno, si me excusan, tengo una cita para almorzar.

Le dio un apretón de manos a Ham, se despidió de los otros y se fue.

—¿Cuál es su evaluación, Ham? —preguntó Stone.

—'Ése' —respondió Ham— es un fantasma espeluznante y aburrido de la CIA, que funciona como un robot. ¿De dónde demonios lo sacaron?

—Yo lo conocí en Londres hace un tiempo —dijo Stone—. Es una larga historia. Se la contaré algún día, cuando esté menos sobrio que ahora.

—Esperaré ese momento con impaciencia —dijo Ham—. Ese hombre es más peligroso que Herbie.

—¿Por qué? —preguntó Holly.

Ham se puso de pie y movió los hombros.

—Porque se considera un patriota, y ellos son siempre los más peligrosos. Bueno, creo que dormiré un rato. Es una prerrogativa de los viejos, y yo estoy viajando desde el amanecer. Hasta luego —se dirigió al piso superior, y dejó a Stone y a Holly reflexionando acerca de la opinión que le merecía Lance Cabot.

28

Holly se puso ropa deportiva, metió la Sig-Sauer en el bolsillo de su chaqueta, ajustó la correa de Daisy y se dirigió al centro de la ciudad.

Ella y Daisy caminaron a paso vivo hasta entrar en el parque, momento en que Holly comenzó a correr, con Daisy a la par. Pasaron frente al zoológico, al lago donde la gente realizaba carreras de pequeños veleros y a la estatua de Alicia en el País de las Maravillas, y después cortaron camino por el césped. En alguna parte, al norte de la estatua de Alicia, Holly sintió que otro corredor la seguía de cerca.

Todo siguió siendo normal hasta que Holly notó que Daisy tenía algo rojo sujeto al lomo. Se frenó en seco para quitárselo y descubrió que lo que tenía en la mano era un dardo. Daisy se sentó, jadeando, después cayó al suelo, inconsciente, y luego algo golpeó a Holly en la nuca.

Stone dormitaba en un sillón de su biblioteca, con un libro sobre las rodillas, cuando la campanilla del teléfono lo despertó.

—Hola.

—¿Hablo con Stone Barrington? —preguntó una voz masculina.

—Sí.

—Soy el sargento recepcionista de la Dependencia Policial 22° de Central Park. Ha habido un homicidio en el parque; creo que será mejor que se dé una vuelta por aquí.

—¿Quién murió?

—No tengo esa información. Sólo le pido que venga aquí. ¿De acuerdo, señor Barrington?

—Voy para allá. ¿Podría comunicarse con el teniente Bacchetti y pedirle que se reúna conmigo allá?

—De acuerdo —dijo el policía y cortó.

Stone pensó en despertar a Ham, pero cambió de idea. Corrió hacia afuera y tomó un taxi.

Stone se sentía asustado cuando entró en la dependencia policial. Se presentó al sargento de recepción.

—Muy bien —dijo el sargento—. Vea al detective Briscoe allá atrás. —Y señaló una puerta con la cabeza.

Stone entró en un pequeño salón para el escuadrón y observó al único detective que había allí.

—¿Barrington? —preguntó el hombre.

—Sí. ¿Qué sucedió?

—Usted fue detective en la Dependencia 19°, ¿no? —preguntó.

—¿Qué demonios ha sucedido? —exigió saber Stone.

—¿Conoce a una detective de Florida llamada Holly Barker?

—Sí. Se hospeda en mi casa.

—Acompáñeme —se puso de pie y caminó por un pasillo, con Stone pisándole los talones. Abrió la puerta a una sala para interrogación—. Por aquí.

Stone entró y la puerta se cerró a sus espaldas. Holly se encontraba sentada frente a la mesa y acariciaba a Daisy, quien se encontraba tendida sobre la superficie de la mesa.

Holly levantó la vista y lo miró.

—Está bien —dijo—. Está recobrando el conocimiento —acarició la cabeza de la perra—. Está todo bien, preciosa. Tómate tu tiempo. Estarás bien dentro de un minuto.

Stone se desplomó en una silla y palmeó a Daisy.

—Creí que habías muerto —dijo.

—No.

—El sargento recepcionista que me llamó me dijo que se había producido un homicidio.

—Bueno, hubo un tiroteo... pero en defensa propia.

—¿Quién?

—No lo sé, un tipo. Había dos. El segundo huyó cuando disparé el primer tiro.

—¿Por qué le disparaste?

—Porque estaba tratando de matarme con un cuchillo.

—¿Dónde pasó todo esto? Comienza por el principio.

—Daisy y yo corríamos por el parque cuando a ella le dispararon un dardo. Después alguien me golpeó en la nuca, pero no con fuerza suficiente como para que perdiera el conocimiento. Di un par de vueltas en el suelo y me apoderé del arma que Ham me había dado. La tenía en el bolsillo de mi chaqueta. El individuo caminaba hacia mí empuñando un cuchillo, como si no esperara ninguna oposición de mi parte. Le disparé —Holly levantó una parte de su chaqueta, atravesada por la bala—. No tuve tiempo de desenfundar.

Stone le apoyó una mano en la mejilla.

—Estás helada —dijo—. ¿Te sientes bien?

—Ahora sí —contestó ella—. Confieso que por un buen rato estuve temblando. Un policía me encontró. Supongo que oyó el disparo.

—¿Puedo dejarte aquí por un par de minutos?

—Sí, claro, las dos estamos bien. Daisy tendrá resaca, pero no está herida.

Stone se puso de pie, regresó a la sala del escuadrón y allí encontró a Briscoe.

—Ella me contó lo sucedido. Fue un disparo en defensa propia.

—Eso parece —dijo Briscoe—, pero yo no tengo la última palabra en este asunto.

Por primera vez Stone advirtió que la nueva Sig-Sauer de Holly estaba sobre el escritorio de Briscoe, dentro de una bolsa de pruebas, con la placa de ella al lado.

—Holly está de servicio —dijo él—. Tiene una orden de arresto contra un fugitivo.

—Ya lo sé —dijo Briscoe—. Eso debería solucionar las cosas. Pero igual queremos ver esa orden de arresto.

—Está en mi casa. Te la traeré. ¿Permitirás que ella se vaya conmigo?

—Bueno, no está arrestada. Puede irse. Y también le devolveremos su arma y su placa —se los entregó a Stone—. Igual, para el registro, hicimos una serie de disparos de prueba con su arma.

Dino entró en la sala como una exhalación.

—¿Qué pasó?

Stone se lo dijo.

—¿Está todo claro aquí? —le preguntó Dino a Briscoe.

—Sí, teniente. Necesitamos un número de teléfono de ella y también necesitamos ver la orden de arresto del fugitivo, pero eso es todo. Es un caso claro de defensa propia.

—¿Tienen identificado al individuo del cuchillo?

—No, no tenemos nada acerca de él fuera del cuchillo, pero trataremos de encontrar en él huellas dactilares.

—¿Qué pasó con el segundo individuo?

—Huyó. El disparo debe de haberlo asustado.

—Gracias, Briscoe —dijo Dino y se llevó aparte a Stone—. ¿Cómo lo está tomando Holly?

—Está bien, creo. Lo que más le preocupa es la salud de Daisy.

—¿Dónde están las dos?

—En una sala para interrogatorios del fondo. ¿Viniste en automóvil?

—Sí. Llevémosla de vuelta a tu casa, así yo recojo la orden de arresto del fugitivo—. Le dio a Briscoe el número de teléfono de Stone.

Cuando llegaron a la casa, ya Daisy estaba en condiciones de caminar, aunque muy lentamente.

En el momento en que se dirigían a la puerta cancel, Ham salía. Señaló el orificio que había en la chaqueta de Holly.

—¿La bala salía o entraba?

—Salía —respondió Holly.

Ham la rodeó con un brazo.

—Ven, te meteré en la cama.

—Ham…

—Más tarde me lo contarás todo.

Cuando Holly y Daisy estuvieron acostadas, Stone y Ham bajaron a la cocina y bebieron una cerveza.

—Ella es muy capaz de cuidar de sí misma —dijo Ham.

—Eso parece.

—¿Qué está pasando aquí, Stone?

—¿En mi opinión? A Trini no le gusta nada que lo sigan y decidió hacer algo al respecto. Por lo que la he oído a Holly decir de él, hoy no estaba allí, porque Holly está viva. Supongo que ordenó a un par de sus hombres que la asustaran.

—¿De modo que los dos tipos que estaban apostados delante de tu casa no eran del FBI?

—Puede que sí, puede que no —Stone tomó el teléfono y

consiguió el número de la Policía Estatal de Nueva York en Albany. Llamó, se identificó e hizo algunas preguntas sobre el puesto de policías de tránsito en la I-684, más temprano ese mismo día. Le pasaron con el agente de campo y tuvo la suerte de hablar con uno de los agentes de tránsito que había en ese puesto.

Stone se identificó.

—¿Esta mañana ustedes detuvieron en la 684 un vehículo utilitario negro?

—Así es.

—Yo era el que manejaba el Mercedes negro.

—¿A qué velocidad iba?

—Me acojo a la quinta enmienda con respecto a esa pregunta, pero estaba transportando a un oficial en servicio. ¿Obtuvieron la identificación de los que viajaban en el utilitario?

—Sí. Eran del FBI y no quisieron decirnos qué estaban haciendo. Igual les hice una boleta de infracción por exceso de velocidad.

—Bien hecho. Muchas gracias, es todo lo que necesitaba saber —Stone colgó y se dirigió a Ham—. Bueno, parece que absolutamente *todos* nos están siguiendo.

—¿Qué piensa usted de lo ocurrido en el parque? —preguntó Ham.

—Creo que querían que pareciera un atraco y que no querían atraer la atención de nadie con el ruido de un disparo de armas de fuego. Utilizaron un dardo en Daisy y después atacaron a Holly con un cuchillo. Lo más probable es que también habrían apuñalado a Daisy, una vez que estuviera fuera de combate. De modo que alguien habría tropezado con una corredora y su perra, ambas muertas.

—¿Por qué no usar un silenciador con ambas? —preguntó Ham.

—Porque entonces parecería un ataque profesional. Pero confieso que lo del dardo es raro. No es la clase de cosa que se le ocurriría usar a un mafioso.

—Ese tal Trini no es un mafioso normal —dijo Ham—. Es mucho más vivo y mucho más peligroso. A él se le ocurriría lo del dardo.

—Tal vez.

—Me alegro de haber venido aquí —dijo Ham—. Mientras yo esté en Nueva York, ella no sale de esta casa sin que yo le cubra las espaldas.

—Estoy totalmente de acuerdo —dijo Stone.

—Ah, y será mejor que vuelvas a mudarla a tu dormitorio —dijo Ham—. Tengo la sensación de que es allí donde ella quiere estar.

Stone tragó fuerte.

—Depende de ella.

29

Holly y Daisy durmieron profundamente hasta la mañana siguiente. Cuando bajaron a desayunar, Stone estaba preparando huevos revueltos y Ham bebía café.

—Por su aspecto, Daisy parece haber bebido anoche demasiadas cervezas —dijo Ham mientras le frotaba los flancos.

—Daisy está bien, sólo un poco mareada —dijo Holly.

Stone sirvió los huevos revueltos en tres platos y los puso sobre la mesa. Todos comenzaron a devorárselos.

—Esto está muy bueno, Stone —dijo Ham—. ¿Qué le pusiste?

—Salmón ahumado y un poco de crema.

—Uno de estos días vas a convertir a alguna muchacha en una esposa muy feliz —dijo Ham.

—Supongo que eso significa que Ham te aprueba, Stone —acotó Holly—. De lo contrario no estaría tratando de casarme contigo.

—Yo nunca dije… —comenzó a decir Ham.

—Oh, cállate, Ham. Eres transparente —Holly se dirigió a Stone—. Ham ha decidido de pronto que es hora de que yo me case. Creo que quiere tener nietos.

—Mira, yo…

—Bueno, Ham, no creo que tengas muchas posibilidades de conseguirlo.

—Yo puedo vivir sin nietos —dijo Ham—. Tú haz lo que quieras. Eso me hará feliz.

—Yo quiero apresar a Trini Rodríguez y no tener que esperar otro par de días para que el FBI se lo lleve de la ciudad. Ya sabes que no me lo van a entregar, ¿no es verdad, Stone?

—Me parece que no —respondió Stone—. ¿Tienes algún plan?

—Bueno, puedo rastrillar de nuevo Little Italy para ver si lo encuentro.

—Creo que yo tengo una idea mejor —dijo Stone.

Hacía bastante tiempo que Stone no visitaba al anciano en los alrededores de Brooklyn, y no estaba muy seguro de qué sentiría al respecto. Por último decidió que aquello que lo hacía dudar no era el padre sino la hija, encerrada en una habitación del piso superior de su casa.

Estacionó el automóvil y fue recibido en la puerta del frente por Pete, un petiso y corpulento ex matón, ahora mayordomo y guardaespaldas de Eduardo Bianchi.

—Ha pasado mucho tiempo —dijo Pete.

—Así es —dijo Stone y siguió al hombre por la casa hacia el jardín de atrás, donde Eduardo se encontraba sentado frente a una mesa de hierro forjado vestido de traje oscuro, como era su costumbre. Se puso de pie para saludarlo, y eso le llevó un poco más de tiempo que durante la visita anterior de Stone.

—¿Cómo estás, Stone? —preguntó Eduardo.

—Estoy muy bien, Eduardo. ¿Y tú?

—Estoy mejor de lo que puede esperar razonablemente una persona de mi edad. Por favor, toma asiento. Pronto nos servirán el almuerzo.

—Tienes muy buen aspecto —dijo Stone e hizo una pausa—. Dime, ¿cómo está Dolce? —Dolce era la hija menor de Eduardo, con quien Stone había estado casado durante algunos minutos antes de que ella se convirtiera en una psicótica asesina.

—Ojalá pudiera decirte que está bien —respondió Eduardo—, pero no es así. Su estado ha empeorado hasta el punto en que ha tratado de matar a todos los que tengan algo que ver con ella, incluyéndome a mí. Tiene una enfermedad cerebral degenerativa, parecida al Alzheimer, que es la causa de toda su conducta. Ahora ni siquiera reconoce a su familia. He tenido que internarla en una institución donde pueda estar cómoda y que, al mismo tiempo, impida que se haga daño a sí misma y a otros.

—Lo lamento muchísimo —dijo Stone—. Era una muchacha preciosa e inteligente.

—Mi madre murió de la misma manera —dijo Eduardo—, y también una tía de ella. Desde luego, en aquella época nadie entendía la razón de su conducta. Parecería que es algo que la hereda una sola hija de cada generación, así que Anna María no corre peligro. —Anna María, que estaba casada con Dino, prefería que la llamaran Mary Ann.

—Es una situación trágica.

—Sí. Y por fortuna, muy poco frecuente. Anna María me ha dicho que, por el temor de tener una hija que herede ese mal, no piensa tener más descendencia, de modo que la enfermedad morirá con Dolce.

—Yo no sabía nada de esto.

—Tampoco lo sabe Dino —dijo Eduardo—. Te agradecería que no se lo dijeras. No quiero que se preocupe.

—Como usted desee.

Llegó el almuerzo y Stone tuvo que esforzarse para comer los tres platos de esa antigua cocina italiana.

Cuando la mesa quedó despejada y Pete les sirvió pequeñas copas de Strega, Eduardo le dijo a Stone:

—Ahora bien, ¿qué te trae por aquí? Supongo que necesitas mi ayuda.

—Así es —contestó Stone—, para una persona amiga. Quiero localizar a alguien que se oculta en... la comunidad italiana de Nueva York.

—¿Con qué finalidad?

—Para que se lo pueda juzgar y encarcelar.

Eduardo se encogió de hombros.

—Aprecio tu franqueza, pero ésa no es una razón valedera para obtener la cooperación de la comunidad.

—Ya lo sé, pero debe comprender que se trata de un homicida múltiple, que mata sin pensarlo ni sentirlo y que no limita sus homicidios a cuestiones de negocios. Una vez puso una bomba en un féretro y explotó durante el funeral.

—Eso es una atrocidad —dijo Eduardo.

—¿Conoce a un hombre llamado Ed Shine?

Eduardo se permitió una leve sonrisa.

—Lo conozco desde el día en que se bajó del barco que lo traía de Italia. Era un hombre valioso para amigos míos. Desde luego, ahora está en prisión. Ed no se contentó con permanecer retirado. Podría haber llevado una existencia pacífica, pero se volvió codicioso.

—Sí. El hombre que esa persona amiga quiere ubicar es el

hijo natural de Shine que tuvo con una mujer cubana del sur de Florida. Se lo conoce con el nombre de Trini Rodríguez.

Eduardo asintió.

—He oído hablar de él y no me gustó lo que supe, pero estaba bajo la protección de Ed.

De pronto, a Stone se le ocurrió algo que podía poner fin a todo ese asunto dándole a Eduardo un pequeño dato.

—¿Alguna vez se preguntó bajo la protección de quién más podría estar?

Eduardo lo miró.

—¿Qué quieres decir?

—¿No se les ocurrió a las personas que lo están ayudando que él no podría ser un hombre libre sin la protección de... bueno, de los que normalmente lo encerrarían en una cárcel?

—¿O sea el FBI?

Stone se encogió de hombros.

—Él sería un fugitivo demasiado importante para que se le permitiera recorrer la ciudad de Nueva York a su antojo si no contara con la protección de alguien importante.

—En eso tienes razón —dijo Eduardo—. Hace que uno se lo pregunte.

—Yo también me lo pregunto.

—Tal vez es porque los ha convencido de que, aunque cuenta con la protección del FBI, en realidad no está trabajando para ellos.

—Es posible. Por lo que tengo entendido, les está ayudando a acabar con una organización terrorista del Oriente Medio que quiere usar a sus amigos para lavar grandes sumas de dinero.

—Decididamente, nadie que yo conozca ayudaría deliberadamente a una organización semejante —dijo Eduardo con suavidad.

—Opino lo mismo.

—Me parece que éste es un asunto bastante complicado —dijo Eduardo.

—No me cabe la menor duda.

—En la actualidad ya casi no me ocupo de negocios, pero haré algunas averiguaciones para saber qué significa ese hombre para las personas que lo están ayudando.

—Estoy seguro de que las respuestas serán interesantes —dijo Stone—. Creo que hay algo acerca de lo cual puede estar seguro: que Trini Rodríguez actúa por sus propios intereses y no los del FBI ni los de quienes lo ayudan.

Eduardo se puso de pie.

—Gracias por venir a visitarme, Stone. Tal vez vendrás a verme pronto, ahora que Dolce no está más en casa. Sé que su presencia te hacía sentir incómodo.

—Espero que me perdone por ello, Eduardo. Me gustaría mucho venir a verlo pronto.

—Alguien te llamará para combinar contigo el encuentro cuando yo tenga algo que decirte —dijo Eduardo—. Creo que será pronto.

Los dos hombres se estrecharon las manos y Stone siguió a Pete por la casa hasta su automóvil.

30

Stone abandonó la casa de los Bianchi y regresó a Manhattan, pensando en la conversación mantenida con Eduardo. El anciano le había parecido auténticamente preocupado por la situación existente con Trini Rodríguez, pero eso no significaba que fuera a ayudarlos. A lo largo de los años él se había ido distanciando de sus relaciones delictivas pasadas para concentrarse en el trabajo de su fundación y de su participación en los cargos directivos del museo, la sala de conciertos y otras instituciones culturales de la ciudad, y parecía reacio a visitar a sus viejos conocidos.

Dolce lo había ayudado en estas actividades hasta que comenzó a exhibir una conducta al principio errática y, finalmente, violenta. Stone pensó que ahora Eduardo era un hombre solitario y que él debía hacer el esfuerzo de visitarlo no sólo cuando necesitaba algo de ese hombre entrado en años.

Stone logró atravesar Brooklyn rápidamente, gracias al tráfico liviano. Había prestado poca atención a los demás automóviles en el camino, pero ahora un policía en motocicleta le llamó la atención cuando miró por el espejo retrovisor. Instintivamente redujo la marcha del vehículo y, al hacerlo, la motocicleta se le puso a la par.

Stone buscaba su placa policial cuando en su mente se encendió una señal de alarma. En la moto iban montados dos hombres, y no era nada habitual que en esa clase de vehículos hubiera dos policías. Ahora estaban a menos de un metro de su ventanilla. Vestían ropa de cuero negro, cascos blancos con antiparras, y uno de ellos llevaba algo en la mano.

Simultáneamente se oyó un ruido intenso y las marcas de dos impactos aparecieron en el vidrio de la ventanilla. Stone frenó de golpe y la motocicleta pasó rauda junto a él, luego disminuyó la velocidad mientras el hombre que iba sentado atrás giraba para realizar otro disparo. Esta vez, otras dos marcas aparecieron en el parabrisas, pero los proyectiles no lograron atravesar los cristales blindados.

Stone, que no llevaba pistola, respondió al ataque con la única arma de que disponía: su automóvil. Apretó a fondo el acelerador y la aguja del tacómetro giró hasta el máximo mientras él enfilaba hacia la motocicleta. El conductor no esperaba eso y, por consiguiente, no reaccionó con la velocidad suficiente. El auto de Stone chocó con violencia contra la parte de atrás de la moto y la hizo cruzar la división central del puente, colocándola directamente en el camino de un camión cementero que se acercaba. Tanto la motocicleta como sus ocupantes rebotaron contra el paragolpes del camión y desaparecieron de la vista de Stone, quien oyó por detrás el chirrido de frenos que se clavaban y las bocinas que sonaban con estridencia.

Detuvo del todo el vehículo, se bajó y miró hacia atrás. El conductor del automóvil siguiente hizo lo mismo y se produjo un embotellamiento en el Puente de Brooklyn.

Stone observó cómo el detective cuidadosamente escribía el final de su informe. Hacía más de cuatro horas que se encontraba en la dependencia policial.

—¿Recuerda alguna otra cosa? —le preguntó el hombre.

—No. ¿Alguien se comunicó telefónicamente con el teniente Bacchetti?

—¿Quién puede saberlo? ¿Cree necesitar ayuda?

—Eso depende de su actitud —respondió Stone. Tanto su placa como su documento de identidad se encontraban sobre la mesa que separaba a ambos.

—Ésa no es responsabilidad mía —dijo el detective, se puso de pie y se desperezó—. Depende de mi superior de vigilancia, pero, si quiere que le diga la verdad, opino que nos hizo usted un gran favor. Hay algunos tramos cubiertos de grasa en el Puente de Brooklyn, pero ¿qué demonios importa?

La puerta se abrió y entró Dino.

—Primero Central Park y ahora Brooklyn —dijo—. ¿Queda alguna dependencia policial en la que no hayas metido la nariz por un caso de homicidio?

—Dino, a mí me dispararon. Trataron de matarme. Dos veces.

—Sí, ya vi tu automóvil afuera. Es bueno saber que los vidrios blindados cumplen con su cometido.

—Me olvidé de preguntarle una cosa —dijo el detective—. ¿Por qué razón conduce usted un vehículo blindado?

—No es un vehículo blindado —dijo Stone—. Está *levemente* blindado, para repeler el fuego de armas pequeñas. Cuando fui a una agencia a comprarlo, lo vi y pensé: "¿Por qué no?".

—Bueno —dijo el detective—, fue una idea espléndida, porque si se hubiera tratado de cristales normales lo que había entre usted y el que disparó, sería su *cerebro* el que estaría desparramado por el Puente de Brooklyn en lugar del de los dos tipos de la motocicleta.

—¿Ya conseguiste identificarlos? —preguntó Dino.

—No. No llevaban ninguna identificación. Quizá sus huellas dactilares nos digan quiénes eran.

—No cuentes con ello —le dijo Stone a Dino—. El hombre que le disparó a Holly en el parque todavía no tiene un nombre, ¿verdad?

Dino sacudió la cabeza.

—Ni lo tendrá. Vamos, salgamos de aquí.

—¿No tengo que hablar con nadie más?

—No. Ya estuve conversando con el comandante. Te llamarán si necesitan saber algo más.

Los dos salieron juntos de la comisaría y Stone le echó una mirada a su automóvil.

—¿Me seguirás hasta el taller mecánico? —preguntó.

—¿Por qué no? —contestó Dino—. No parece que yo tuviera que trabajar para ganarme la vida.

Una vez en el taller, media docena de mecánicos de Mercedes Benz, de overoles azules, rodearon al vehículo.

—Ésta es mi primera experiencia con uno de estos automóviles —dijo el gerente del service—. Hemos vendido algunos iguales, pero es la primera vez que me traen uno con perforaciones de bala.

—¿Qué me dice del paragolpes? —preguntó Stone.

—Tendremos uno nuevo aquí mañana, pero habrá que pintarlo. Conseguir un repuesto de cristales antibalas llevará un poco más de tiempo, tal vez dos o tres semanas. Es importado de Alemania, y están los trámites de aduana y todo eso.

—Colóquele un parabrisas con cristales normales —dijo Stone—. Cuando reciban el otro, volveré para que me lo instalen.

—En ese caso, tendremos el vehículo listo para el fin de semana —dijo el gerente del service.

—¿Ahora podemos irnos? —preguntó Dino.

Stone firmó la orden y siguió a Dino a su automóvil.

—¿Ya pensaste cómo le vas a explicar lo sucedido a tu compañía de seguros? —preguntó Dino cuando se alejaban de allí.

—Creo que ni se los mencionaré —respondió Stone—, porque tampoco les mencioné que tenía un auto blindado. Pensé que eso podría trastornarlos un poco.

—Stone, creo que deberías sacar a Holly de la ciudad durante un tiempo —dijo Dino.

—Me parece una buena idea y lo hablaré con Holly —dijo Stone—, pero no creo que ella acepte. Ahora está enfurecida y su ira aumentará cuando le cuente lo sucedido.

—Mejor enfurecida que muerta —dijo Dino—. Quienquiera que sea que está haciendo esto ya ha perdido tres hombres en el intento, y es más que posible que lo hayas sacado de sus casillas.

—¿Crees que es Trini? —preguntó Stone.

—¿Se te ocurre algún otro nombre?

—Quizá —respondió Stone.

31

Dino redujo la marcha del vehículo al doblar hacia la calle de Stone y le señaló un grupo de personas reunidas frente a la puerta de su casa.

—Debes de estar muerto, porque estás atrayendo a las moscas.

Stone gruñó.

—Detente aquí. —Dino lo hizo y Stone tomó su teléfono celular y llamó a su secretaria.

—Estudio Barrington —dijo Joan Robertson.

—Joan, soy yo.

—¿Estás bien?

—Sí. Estoy justo afuera. Quiero que vayas al garaje, cuentes hasta cinco y abras la puerta. Y que en cuanto nosotros estemos adentro, la cierres.

—De acuerdo. Adiós.

—Despacio —dijo Stone. Dino fue acercando su automóvil y, cuando vio que la puerta del garaje comenzaba a moverse, aceleró. Dobló hacia el sendero de entrada, atravesó la acera y frenó antes de chocar contra la pared posterior del garaje. La puerta se cerró detrás de ellos.

Stone había visto por lo menos dos cámaras de televisión entre el gentío.

—Ven, entremos. Te convidaré con un trago.

—De todas maneras no puedo salir sin atropellar a algunos miembros del cuarto poder.

—¿Qué ocurrió en el Puente de Brooklyn? —preguntó Joan—. Lo están pasando por televisión.

—Ven, subamos, así sólo tengo que explicar las cosas una vez —dijo Stone.

Holly y Ham se reunieron con ellos en lo alto de la escalera.

—¿Estás bien? —preguntó ella.

—Estoy muy bien, excepto que acabo de matar a dos hombres.

—Eso no es bueno —dijo Ham.

Stone los condujo a su estudio y les sirvió bebidas a todos salvo a sí mismo. Entonces les explicó lo sucedido.

—Holly, creo que debemos irnos de la ciudad —dijo y levantó una mano—. Sé que tú no quieres alejarte de Trini, pero ese gentío que está afuera hace que sea imposible para nosotros quedarnos aquí. No vamos a poder movernos sin que nos sigan.

—¿Por qué no se van a Connecticut? —preguntó Dino.

—Imposible. Algunas de las personas que nos han estado siguiendo conocen la existencia de esa casa.

—Sí —dijo Holly—, pero son del FBI. ¿Te parece que están tratando de matarnos?

—Lo dudo, pero cabe la posibilidad de que alguien de ese equipo esté hablando con alguien del grupo de Trini, o quizá nos estamos enfrentando a otro grupo completamente distinto.

—¿Y qué grupo sería ése? —preguntó Dino.

—No lo sé, y no quiero enterarme de la peor manera.

—Entonces vayámonos a Florida —dijo Holly—. Allí tengo una casa perfecta, y si llegan a descubrirnos allí, siempre nos queda la casa de Ham.

—Me parece bien —dijo Ham—. Ustedes dos pueden dormir en las hamacas del porche. Hace tiempo que nadie lo hace allí para alimentar a los mosquitos.

—Haces que la invitación sea irresistible, Ham —dijo Stone—. ¿Cuánto tiempo les llevaría a ustedes dos preparar su equipaje?

—Diez minutos —respondió Holly.

—Dino, ¿puedes llevarnos a Teterboro?

—Por supuesto que sí.

Stone tomó el teléfono y llamó a la compañía aérea Atlantic Aviation.

—Por favor, prepárenme el avión y cárguenle combustible —dijo—. Estaremos allí dentro de media hora. —Cortó la comunicación, llamó a Servicios de Vuelo y consiguió un informe meteorológico, y después registró su plan de vuelo. Fue al piso superior, puso algunas cosas en un par de bolsos de lona y, cuando bajó, descubrió que todos lo estaban esperando.—

Muy bien —dijo—, enfrentémonos al acoso de los que están afuera.

Bajaron rápidamente al garaje y subieron al automóvil de Dino mientras Joan permanecía junto al interruptor que accionaba la puerta.

—Puedes comunicarte conmigo al teléfono celular —dijo Stone—. Por favor, abre la puerta.

Joan lo hizo y Dino comenzó a retroceder el vehículo. Encendió las luces intermitentes y por un minuto hizo sonar la alarma, y la multitud se dispersó. Cuando se alejaba de la casa los reporteros echaron a correr junto al auto sin dejar de hacer preguntas, mientras los fotógrafos disparaban sus flashes. Dino y los de su partida se abrieron camino por entre el semáforo de la esquina con la ayuda de las luces y la sirena y muy pronto estuvieron fuera del alcance de los periodistas.

En Teterboro, Dino transpuso el portón de seguridad y estacionó junto al avión de Stone, que ya estaba fuera del hangar. El camión de combustible estaba terminando de reabastecerlo.

Stone puso el equipaje de todos en el compartimento de atrás y luego realizó una inspección de prevuelo del avión.

—Ojalá pudiera ir con ustedes —dijo Dino—. Me vendría bien tomar un poco de sol.

—En casa tengo lugar de sobra para ti y tu esposa —dijo Holly.

—Se lo preguntaré —dijo Dino y estrechó la mano de Stone—. Llámame dentro de un par de días y te avisaré si las cosas se enfriaron.

—Eso haré.

—A propósito, nos siguió hasta aquí un Lincoln Town Car de color negro. Yo no estuve seguro hasta que tomamos la última curva.

Stone se echó a reír.

—Que traten de seguirnos ahora —subió al avión, les mostró a Holly y a Ham cómo cerrar la puerta y después se instaló en el asiento del piloto, con Holly junto a él—. Abróchense el cinturón de seguridad. —Fue revisando la lista de verificación, obtuvo permiso de la torre de control y comenzó a carretear por la pista 24. Aceleró a fondo, llamó a la torre y le dieron permiso para despegar. Un momento después trepaban a mil pies de altura, con la puesta de sol a la derecha, de color naranja vivo, por entre la neblina de Nueva Jersey.

Stone ascendió al nivel de vuelo 250, encendió el reproductor de CD y, después de revisar la lista de verificación de crucero, se distendió. Advirtió que ya Holly y Ham dormitaban.

Con el piloto automático a cargo del vuelo, Stone comenzó a pensar en los eventos de ese día, pero la escena que volvía a desfilar por su mente todo el tiempo era la del Puente de Brooklyn, donde la motocicleta era empujada hacia el carril contrario, en el que avanzaba el camión cementero. Trató de no pensar en lo que pasó después.

Por último, verificó el teléfono Garmin AirCell del aeroplano para estar seguro de tener señal; después marcó el número de un teléfono celular de Nueva York y oprimió un botón en el panel de audio para aislar sus auriculares de los de Holly y Ham.

—¿Sí? —dijo una voz familiar.

—Lance, soy Stone.

—Qué agradable oírte —dijo Lance con voz suave—. Aunque he tenido noticias tuyas por los informativos. ¿Estás bien?

—Sí, muy bien, gracias.

—¿Qué es ese ruido en segundo plano? —preguntó Lance.

—Sólo el ruido del camino —fue la respuesta de Stone—. Estoy en mi automóvil.

—¿Adónde vas?

—Estoy saliendo de la ciudad.

—¿Y te diriges a...?

—Si quisiera que nos mataran a Holly y a mí, te lo diría.

Se hizo un prolongado silencio antes de que Lance volviera a hablar.

—Qué cosa tan rara que dices —fue finalmente su comentario.

—Supongo que sí —respondió Stone—, pero tú eres la única persona en todo esto con los recursos necesarios para hacer que sucediera lo que ha estado pasando.

Otro largo silencio.

—La tuya no es una conclusión descabellada, pero ¿qué te hace pensar que te quiero muerto?

—Es lo que me sigo preguntando —dijo Stone. Oprimió el botón de END del teléfono y volvió a ponerlo en su lugar. Ya estaba oscuro y todas las luces de las ciudades y pueblos de la costa atlántica se extendían delante de ellos. Le alegró dejarlas atrás.

32

Stone despertó, desorientado, con el sol que se filtraba por la ventana. Estaba solo en la cama y no alcanzaba a oír a nadie en el piso de abajo.

En un armario encontró una bata, puso su teléfono celular en un bolsillo y bajó por la escalera. Al pasear la vista por la sala y la cocina pensó que era un lugar muy agradable. Abrió las puertas corredizas de vidrio y salió. Las dunas se extendían a izquierda y derecha y el Océano Atlántico estaba a apenas unos metros de la casa. El clima era templado y suave y el pequeño oleaje producía un ruido agradable.

Una vez en la playa, observó en todas direcciones y, al confirmar que estaba solo, se sacó la bata y corrió desnudo hacia el mar; lo hizo a toda velocidad, luego se zambulló y nadó hasta alejarse bastante de la costa. Cuando estuvo a 50 metros de ella nadó hacia la playa, se puso la bata y regresó a la casa. En la cocina encontró jugo de frutas, cereales y leche y se preparó el desayuno. Estaba bebiendo café cuando sonó la campanilla del teléfono. Dejó que el contestador tomara el llamado.

—Stone, soy Holly —dijo la voz—. Si estás despierto, contesta.

Stone tomó el teléfono que estaba sobre la mesada de la cocina.

—Hola.

—¿A qué hora te levantaste?

—Hace algunos minutos. Nadé un rato y tomé desayuno.

—Fantástico. Ponte cómodo. Daisy y yo estamos trabajando y tengo mucha correspondencia para revisar. ¿Trajiste un arma contigo?

—Sí, mi Walther.

—Bien. No me gusta pensar que estás desarmado, con todo lo que ha estado pasando.

—A mí tampoco me gustaría. ¿Puedo portar armas en este estado?

—No con la palabra "retirado" en tu identificación policial. Cuando estés vestido, ven a la comisaría y pregunta por mi secretaria. Ella te proporcionará algo. —Le dio indicaciones.— Utiliza mi automóvil. Las llaves están en un bowl que hay sobre la mesada de la cocina.

—Suena bien.

—Yo no estaré aquí cuando vengas y no llegaré a casa hasta eso de las siete. ¿Podrás entretenerte solo?

—Lo intentaré.

—Nos veremos, entonces —dijo ella y cortó.

Stone se duchó y se puso ropa liviana; después fue a la ciudad en el automóvil y, siguiendo las indicaciones de Holly, encontró la comisaría y pidió hablar con la secretaria.

Una mujer cincuentona apareció junto al mostrador del frente para reunirse con él.

—Buenos días, señor Barrington. ¿Puede acompañarme, por favor? Todos estamos esperándolo.

Él la siguió a través del salón de la escuadra hasta el fondo del edificio, donde se detuvo junto a una pared y le tomó una fotografía con una Polaroid especial para retratos de pasaporte.

Le entregó un formulario y una lapicera.

—Por favor, firme aquí abajo.

Stone lo hizo. Ella se alejó y volvió con una tarjeta de identificación plastificada y una placa, todo dentro de su propia billetera.

—Felicitaciones. Ahora es usted teniente consultor del Departamento de Policía de Orchid Beach, *ad honorem*.

—Gracias.

Stone regresó al auto, abrió la guantera y extrajo la Walther y una pistolera para hombro marca Galco Executive. Se puso ese arnés liviano y, encima, su chaqueta.

—Ahora estoy armado y soy peligroso —dijo en voz alta para divertirse.

Esa noche Stone, Holly, Ham y su novia Ginny, una pelirroja muy bonita, se encontraban sentados frente a una mesa en el Ocean Grill, en los alrededores de Vero Beach, bebiendo vodka.

—Stone —dijo Holly, ¿crees que Lance pudo haber tenido algo que ver con las personas que han estado tratando de matarnos a ti y a mí?

—Bueno, confieso que lo pensé —respondió Stone—. No cabe duda de que él tiene los recursos necesarios para hacerlo.

—Pues a mí no se me ocurre ningún motivo. ¿Y a ti?

—Por el momento, tampoco. No me parece que sepamos algo que no deberíamos saber. Creo que es una mejor conjetura pensar que alguien del FBI le está hablando a Trini de nosotros, pero no imagino que el FBI apruebe el asesinato de dos ciudadanos. Todo esto es muy desconcertante.

—En mi opinión, esto es obra de Trini —dijo Ham—, y no creo que él necesite que el FBI lo ayude. Por lo que Holly me ha contado, él podría haberte seguido a la casa de ella, así que debe de saber acerca de ti. Y no porque los del FBI te estén siguiendo, quiere decir que la gente de Trini no pueda seguirte también. Lance no necesita tener una razón para matar a dos personas que se supone están trabajando para él.

—Aparte de eso —dijo Holly—, Lance no me da la impresión de tener el tipo de un asesino.

—Hay toda clase de tipos de asesinos —dijo Stone.

—Muy cierto —acotó Ham.

Llegó la cena y la conversación se centró en otros temas.

Acababan de regresar a la casa de Holly cuando el celular de Stone comenzó a vibrar en su bolsillo.

—Hola.

—Stone, soy Lance.

—Buenas noches.

—La última conversación que tuvimos me dejó pensando. Ordené que realizaran una prueba de ADN de nuestros tres asesinos anónimos y acabo de recibir un llamado de mi gente con los resultados.

—¿Tienes una base de datos para comparar esos resultados con ella?

—Sí, pero no están en nuestra base de datos ni en la del FBI.

—¿De modo que las pruebas fueron inútiles?

—En lo que respecta a identificación, sí. Pero esas pruebas nos proporcionaron otras informaciones significativas.

—¿Qué clase de informaciones?

—Nos permitió llegar a la conclusión de que los tres hombres eran árabes, posiblemente libaneses o sirios.

—¿Eso se pudo deducir del ADN?

—Sí. Además, que estaban emparentados; que no eran hermanos pero probablemente sí primos.

Stone miró a Holly.

—¿De modo que me estás diciendo que las personas que tratan de matarnos a Holly y a mí son una familia de asesinos libaneses o sirios?

—Lo haces parecer algo de *Las mil y una noches*. Lo más probable es que los tres primos sean miembros de la misma célula terrorista, eso es todo.

—¿Qué quieres decir con "eso es todo"? Es más que suficiente. ¿Por qué habría una célula terrorista de tener interés en Holly y en mí?

—Creo que eso es obvio —dijo Lance.

—Pues tendrás que hacerlo incluso más obvio para que yo lo entienda.

—Piénsalo: Trini Rodríguez tiene tratos con un grupo árabe en esa operación de lavado de dinero, ¿no es así?

—Sí.

—Así que les informa a sus contactos que tú y Holly son una amenaza para esa transacción.

—De acuerdo, ahora es obvio.

—Lo que también es obvio es que al matar a esos tres hombres sin duda irritaste a los otros integrantes del grupo, así que opino que tú y Holly deberían quedarse en Orchid Beach hasta que el FBI haya realizado una redada para atrapar a esas personas.

—Aguarda un minuto. ¿Qué te hace pensar que estamos en Orchid Beach?

—El que hayas registrado un plan de vuelo para Vero Beach, que es el aeropuerto que sirve a la ciudad natal de Holly.

—De manera que eso dedujiste, ¿eh?

—Sí, pero dudo que tus amigos libaneses hayan hecho

otro tanto. De todos modos, me pareció que te gustaría saber que yo no estoy tratando de matarte.

—¿Y por qué debo creerte? Podrías estar inventándolo.

—Stone, usa un poco la cabeza. La razón por la que deberías saber que no trato de matarte es que todavía sigues con vida —dijo Lance y colgó.

Stone se dirigió a Holly.

—Será mejor que te sientes —le dijo.

33

Holly escuchó el informe que le daba Stone de su conversación con Lance. Cuando él terminó, ella sacudió la cabeza.

—No sé si reírme o llorar.

—Tampoco yo.

—Quiero decir, la parte de los asesinos árabes sería graciosa si tú y yo no hubiéramos matado ya a esos tres hombres. De lo contrario yo no lo habría creído.

—Yo tampoco.

—¿Y él dijo que ellos no saben que estábamos en Orchid Beach?

—Dijo que él lo había deducido, pero que ellos no podrían haberlo hecho.

—Ruego a Dios que así sea.

—Yo también.

—Igual, pienso dormir con un arma.

—Buena idea.

—Hablando de dormir...

—Voy contigo.

Holly dejó entrar a Daisy de su paseo nocturno por las dunas y después condujo a Stone al piso superior.

—Daisy, vete a tu cama —dijo, y la perra se acurrucó donde su dueña le había ordenado.

—Bien —dijo Stone mientras acariciaba el cabello de Holly—. Esta noche no quiero a nadie entre tú y yo y, además, me alegro de que también Ham haya salido.

—Me alegra que te alegre —dijo ella y lo ayudó a quitarse la camisa por encima de la cabeza.

Stone le desabotonó la blusa y le desprendió el sostén.

—Estar solos es lo más maravilloso —dijo él y le besó los pechos.

Ella lo atrajo hacia sí y empujó sus hombros hacia abajo hasta que Stone quedó de rodillas y le quitó el resto de la ropa.

—Oh, sí, ése es el lugar —dijo Holly y le pasó los dedos por el cabello.

Él la recostó sobre la cama y ella abrió las piernas. Durante los minutos siguientes Stone se concentró en hacerla feliz, y los gemidos de Holly le confirmaron que lo estaba logrando.

Holly gimió hasta alcanzar el clímax y luego hizo que Stone se tendiera sobre ella.

—Esta noche yo quiero todo —le dijo.

Stone la penetró.

—Pues eso es lo que tendrás.

—¡Sí! —gritó Holly y le siguió el ritmo.

Hicieron el amor durante más de una hora. Rieron y disfrutaron intensamente. Luego de varios orgasmos, terminaron abrazados y agotados.

—Me parece —dijo Stone— que mi corazón debe de estar en muy buena forma, porque de lo contrario en este momento estaría muerto. Ésta ha sido la prueba de resistencia más brava del mundo.

Holly apoyó la cabeza en el hombro de Stone y colocó una pierna sobre una de él.

—Muy bien, ahora pueden matarme esos asesinos árabes.

—Espero que no.

—Si se aparecieran en este momento, yo no podría ni sostener una pistola. Estoy tan relajada que ni siquiera puedo apretar un puño.

—Entonces los dos estaríamos indefensos.

—Pero podríamos confiar en Daisy.

—No nos quedaría más remedio.

De pronto a Stone se le ocurrió algo.

—Acabo de tener un pensamiento inquietante —dijo.

—No ahora, por favor.

—Si ellos no saben que estamos aquí, ¿quién saqueó tu casa hace unos días?

—No me obligues a pensar en eso ahora —dijo ella con un hilo de voz—. Estoy a punto de quedarme dormida.

—Oh, no. Primero tienes que responderme esa pregunta. No dejaré que te duermas hasta que lo haga yo, y yo no puedo dormir pensando en eso.

—¿Podrías repetirme cuál era tu pregunta?

—¿Quién saqueó tu casa?

—¿Cómo demonios quieres que lo sepa?

—¿Tu fuerza policial no lo investigó?

—Sí, pero los atacantes no dejaron ninguna huella.

—¿Quién crees que lo hizo?

—¿Me estás diciendo que fueron los asesinos árabes?

—Yo diría que todo parece indicar que eso estuvo relacionado con Trini, ¿no te parece?

—Trini es un muchacho de Florida. Si quisiera saquear mi casa, no necesitaría a ningún asesino árabe. Le bastaría con llamar por teléfono a alguno de sus amigos de aquí.

—Bueno, me alivia saber que no fueron los árabes.

—Yo también me alegro.

—¿La alarma contra ladrones está activada?

—No, pero aquí, junto a la cama, hay un teclado que la activa.

—¿Podrías activarla entonces, por favor?

Con un gruñido, Holly rodó sobre la cama y marcó la clave en el teclado. Luego volvió a su posición anterior.

—Ya está.

—Bien. Creo que ahora podré dormir.

—Pero yo estoy totalmente despierta.

—Y yo tengo sueño.

—Ah, no, nada de eso —dijo ella, le tomó los testículos y se los oprimió.

—Epa, yo no puedo dormir si me haces eso.

—Ésa es la idea. —Holly dejó de apretárselos y comenzó, en cambio, a acariciárselos.

—No pensarás que yo puedo…

—Desde luego que puedes.

—Es imposible, después de lo que acabamos de hacer.

—¿Entonces por qué tu cuerpo reacciona así? —preguntó ella sin interrumpir sus caricias.

—Dios santo.

Holly se tendió encima de Stone y recibió su miembro.

—De hecho, tu cuerpo reacciona más que bien.

—Eso no te lo discutiré —dijo Stone y arqueó la espalda—. Pero nunca más podré tener un orgasmo.

—¿Quieres apostar? —preguntó ella.

34

Cuando Stone despertó, se encontraba acostado de lado en la cama y Holly estaba acurrucada contra él en posición "cucharita". Stone sintió ganas de iniciar algo, pero vio que Daisy lo miraba fijo desde el otro lado de la cama, y era difícil no tomarla en cuenta.

—¿Quieres salir, muchacha? —le preguntó.

—No —respondió la voz adormilada de Holly.

—No te lo estaba preguntando a ti.

Stone se levantó y bajó, desnudo, con Daisy. Abrió la puerta corrediza que daba a la playa y la dejó abierta para que la perra pudiera regresar al interior de la casa.

Holly bajó por la escalera poniéndose una bata.

—Me gusta verte desnudo en casa —dijo.

—¿Por qué estás levantada?

—Son más de las ocho y lo menos que puedo hacer es verificar cómo están las cosas en el Departamento de Policía antes de volver a meterme en la cama y hacerte saltar los sesos —y le pellizcó el trasero al pasar junto a él.

—¿O sea que tengo que esperar?

Ella preparó café, encendió el televisor y sintonizó CNN.

—Anoche, en la ciudad de Nueva York —decía un periodista—, el FBI realizó un importante operativo contra una organización terrorista muy importante. Después de crear una supuesta organización dedicada al lavado de dinero, lograron atraer a la rama financiera de los terroristas a una dirección en Little Italy y, haciéndose pasar por integrantes de la Mafia, grabaron en video la transacción y luego los arrestaron a todos. Todavía no se han dado a conocer nombres, pero nuestras fuentes nos informan que siete miembros de la todavía anónima organización terrorista fueron arrestados y se confiscaron más de diez millones de dólares en euros y francos suizos.

En el monitor, la escena pasó a un grupo de hombres sonrientes frente a un micrófono.

—Estamos muy complacidos con los resultados de este operativo —decía un hombre.

—Mira, allí está Grant Early Harrison en la fila de atrás —dijo Holly. Lo hicieron. Ahora podré tratar de apresar a Trini.

—Supongo que sí —dijo Stone—. Qué raro que Lance no nos mencionó nada de esto anoche.

—Tal vez los del FBI todavía no se lo habían informado. ¿Estás listo para regresar a Nueva York?

Stone se encogió de hombros.

—Sí, claro. De todos modos, no sé cuánto más de todo este sol, este mar y este aire puro podrá soportar mi cuerpo. ¿Puedo desayunar primero?

—Desde luego que sí —contestó Holly y se puso a trabajar en la cocina.

Una hora más tarde, Holly salía de la casa en uniforme.

—Me esperan un par de horas de trabajo en el Departamento. Tú podrías ganar tiempo y registrar tu plan de vuelo. Yo traeré sandwiches para que almorcemos en el avión.

—¿Vas a llamar a Ham?

—Le dejaré a Daisy. Entonces se lo diré.

—Como digas.

Ella se fue y Stone llamó al servicio meteorológico para conocer el estado del tiempo, y le informaron que era favorable. Registró entonces un plan de vuelo y luego llamó al aeropuerto y pidió que reabastecieran el avión. Holly llevó a Daisy a lo de Ham, a quien no le gustó nada la idea de que su hija volviera a Nueva York sin él.

—Llámame si me necesitas —le dijo.

—Eso haré —respondió ella y lo besó en la mejilla.

Con Holly en el asiento del copiloto, despegaron del aeropuerto de Vero Beach y enfilaron hacia el norte, pasando sobre Ormond Beach y Charleston, en Carolina del Norte. Stone notó que tenían un viento a favor de treinta nudos, así que hicieron el trayecto en muy buen tiempo.

Acababan de pasar sobre Charleston cuando sonó la campanilla del teléfono y Stone contestó.

—Hola.

—¿Stone?

—Sí.

—Soy Eduardo. Espero que no te importe que llame por teléfono al avión. Tu secretaria me dio el número.

—No hay problema. Me alegro de oírte, Eduardo.

—¿Dónde estás?

—Estuve en Florida un par de días y ahora vuelvo a casa. Calculo que aterrizaré en Teterboro aproximadamente en dos horas y media.

—Tengo cierta información para ti.

—Te escucho.

—Aparentemente el asunto sobre el que tú y yo hablamos tuvo lugar anoche.

—Sí, esta mañana vi algo por televisión.

—Tu señor Rodríguez tomó parte en el proceso, y cuando se hicieron los arrestos él se alejó en un automóvil del FBI. Mis, digamos, conocidos no saben dónde está. No han tenido noticias de él.

—¿Esperan tenerlas?

—Así parece, pero lo que no esperaban era que se fuera con los del FBI. Lo que suponen es que ha sido arrestado o que está siendo interrogado con respecto a algún otro asunto.

—Ajá. Muchas gracias, Eduardo, te agradezco tu ayuda.

—Me alegro de haberte servido de algo y espero que la información que acabo de darte te sea útil.

—Yo también lo espero.

—Por favor, ven pronto a almorzar de nuevo a casa.

—Lo haré, y te agradezco de nuevo. Adiós —Stone cortó la comunicación—. ¿Oíste lo que hablamos? —le preguntó a Holly.

—Sí —contestó ella—. Tal vez lo tienen arrestado para mí.

—¿Eso crees?

—¿Puedo usar el teléfono?

—Desde luego —dijo Stone y se lo pasó.

—¿Cómo hago para comunicarme con información?

—Marca 411, igual que en tierra firme.

Ella lo hizo, consiguió el número de la oficina del FBI en Nueva York y obtuvo la conexión.

—Quiero hablar con el agente especial Grant Harrison —le dijo a la operadora.

—Un momento. Veré si está en su oficina. ¿Quién lo llama, por favor?

—Holly Barker, jefa del Departamento de Policía de Orchid Beach, Florida.

Medio minuto después, Grant apareció en línea.

—¿Holly?

—Sí, soy yo.

—¿Dónde estás? ¿Y qué es ese ruido?

—Estoy en vuelo de Florida a Nueva York.

—Te tengo buenas noticias. Anoche hicimos la redada.

—Lo vi esta mañana por televisión. ¿Dónde está ahora Trini Rodríguez?

—Me temo que no puedo decírtelo.

—¿Por qué no?

—Por su cooperación, a Trini se le ha conferido inmunidad frente a acciones legales, y se encuentra de nuevo en el Programa de Protección de Testigos.

La cara de Holly se encendió.

—Grant, no se le puede dar esa clase de inmunidad a alguien a quien se acusa de homicidios múltiples en un estado.

—Pues él tiene inmunidad con respecto a todos los cargos federales.

—Yo tengo una orden de arresto a su nombre por doce acusaciones de homicidio en primer grado como resultado de la colocación de una bomba en una iglesia.

—Lo entiendo, pero igual no puedo decirte dónde se encuentra.

—¿O sea que, al ocultarlo, de hecho ustedes le están dando inmunidad con respecto a los cargos estatales?

—Yo no lo diría así, pero tú puedes interpretarlo como lo desees.

—Esto realmente apesta, Grant.

—Lamento que lo tomes así, Holly. Este operativo era vital para la seguridad nacional, y no podríamos haberlo realizado con éxito sin la ayuda de Trini. Mira, hoy, más tarde, regreso a Miami. ¿Quieres que nos reunamos este fin de semana?

—No. Ni esta semana ni nunca.

—Lo lamento. Confiaba en que podríamos...

—Me temo que, de ahora en adelante, tendrás que hacerlo por tu cuenta —dijo ella y cortó. Miró a Stone—. ¿Lo oíste?

Stone asintió.

—No fueron precisamente buenas noticias.

—¿Qué voy a hacer ahora?

—Lo estoy pensando, lo estoy pensando.

35

Cuando Lance llegó, Stone y Holly estaban tomando unas copas en Elaine's.

Él se instaló frente a la mesa ocupada por ambos y pidió también algo para beber.

—¿Y, cómo estaba la soleada Florida?

—Soleada —respondió Stone—. No sé cómo hace esa gente para soportar tanto sol.

—Sí, es una vida difícil. Holly, ¿sigues teniendo control de las actividades delictivas que ocurren en Orchid Beach?

—Bueno, eso no es tan difícil. Por lo general son problemas de tráfico, ocasionales redadas de drogas o robos.

—¿Eso no te aburre?

—Qué curioso que lo menciones.

—¿Por qué?

—Le comenté a Stone que estaba pensando en hacer un cambio. Dios sabe que allá se vive muy bien, pero te confieso que no es precisamente interesante.

—Tal vez yo pueda ayudarte —dijo Lance—. Veré qué puedo hacer.

—Por supuesto.

—En realidad —acotó Stone—, puedes ayudarla en otra cuestión, Lance.

Lance sonrió.

—¿Con lo de Trini?

—Correcto —dijo Holly.

—Lo vi en los informativos de televisión. Cuando supe que se habían llevado a Trini en un automóvil del FBI, me imaginé que lo tendrían escondido. ¿Está de nuevo en el Programa de Protección de Testigos?

—Sí —contestó ella.

—¿Ya hablaste con alguien del FBI?

—Sí, pero jamás volveré a hablar con él.

—Holly, quiero creer que a esta altura sabes que el FBI nunca va a ayudar a nadie que pertenezca a las fuerzas locales del orden.

—Sí, lo sabía, pero me lo acaban de recordar.

—Quizá la mejor estrategia sería que humillaras a los del FBI para obligarlos a entregarte a Trini.

—¿Humillarlos? Eso sí que suena divertido.

—Por supuesto, eso equivaldría a quemar tus naves. Ellos jamás te devolverían ningún llamado telefónico.

—Sólo dime de qué manera podría humillarlos.

—Conozco a un reportero influyente de The New York Times. Estoy seguro de que le encantaría enterarse cómo el FBI oculta a un homicida múltiple, para evitar que sea enjuiciado. ¿Te gustaría conocer a ese caballero?

Holly sonrió de oreja a oreja y abrió la boca para hablar, pero Stone levantó una mano.

—Un momento —dijo.

—¿Qué pasa? —preguntó Holly.

—Ése sería un paso muy grande.

—Bueno, sí, supongo que sí.

—Creo que, antes de tomar una decisión, deberías reflexionar en las consecuencias que tendría. En primer lugar, enfurecerías al FBI.

—Eso me gustaría —dijo ella.

—Tal vez no. Supongamos que llegaras a necesitarlos en un caso importante. Quiero decir, todavía precisas usar su laboratorio, sus bases de datos computadas, su experiencia. Podrías descubrir de pronto que no tienes acceso a nada de eso, quizá no abiertamente sino en las cosas pequeñas. Ellos podrían "traspapelar" tus muestras de laboratorio, o quizá el sistema de tu computadora podría "caerse" repentinamente.

—Lo que dice Stone tiene sentido, Holly —dijo Lance—. Si vas al Times, sería una declaración de guerra contra el FBI, y ellos podrían hacer que las cosas fueran bien difíciles para ti.

—Tú todavía respondes al ayuntamiento de la ciudad, ¿verdad? —preguntó Stone.

—Bueno, sí.

—Imagino que no querrías que los miembros del consejo municipal comenzaran a recibir llamados telefónicos de grandes personajes del FBI, quejándose de ti.

—Supongo que no. Tal vez debería renunciar. Eso solucionaría todos los problemas que has mencionado.

—Pero entonces podrían surgir otros problemas —dijo Stone—. Que Dios te ayude si llegas a meterte en problemas con el FBI.

—¿Qué clase de problemas?

—Bueno, no sé. Podrías encontrarte en un aprieto, por así decirlo, y necesitar la ayuda del FBI o, al menos, que no te prestaran atención —aguardó para comprobar si sus palabras habían sido comprendidas. No fue así.

—¿Qué quieres decir con eso de "encontrarme en un aprieto"?

—Fue sólo un decir, que me pareció pertinente.

—Ah —dijo ella.

Stone miró a Lance.

—¿No hay ninguna otra cosa que podrías hacer para ayudar a Holly a localizar a Trini? ¿Algo factible sin llegar a arrojarle una granada al FBI?

—Para ello necesitaría tener más elementos de los que poseo —respondió Lance—. Por ejemplo, conocer el nombre que lleva Trini en el Programa de Protección de Testigos.

Holly se incorporó en su asiento.

—Robert Marshall.

—¿Qué?

—Así se llama Trini en el Programa. Me lo consiguió… una fuente.

—¿Y cuánto hace que lo sabes?

—Desde poco después de llegar a Nueva York.

Lance tomó su teléfono celular y marcó un número de tres dígitos.

—Robert Marshall —dijo—. Nuevo listado —sacó un anotador y escribió algo en él; después cortó. Arrancó la página del anotador y se la entregó a Holly—. Calle 88 —dijo—. A dos cuadras de aquí, hacia el este.

—Bromeas —dijo Holly.

—No.

—¿Tienes una de esas cosas de la CIA que puede darte ese dato?

—No. Llamé a Información de Nueva York.

—¿Al 411?

—Exactamente.

Holly parecía desconcertada.

—¿Cómo no se me ocurrió?

—No lo sé. ¿Por qué no se te ocurrió?

Stone se echó a reír.

—¿Todo este tiempo y todo este trabajo, y lo único que teníamos que hacer era llamar a información?

—Bueno —dijo Holly y se puso de pie—. Vayamos a arrestarlo.

—No hasta que yo haya acabado de cenar —dijo Lance y tomó un menú—. Antes es preciso hacer algunos preparativos.

Eligieron lo que comerían y después Lance volvió a sacar su celular.

—Escribe esto —dijo cuando le contestaron el llamado, y leyó la dirección—. Quiero que envíes un automóvil y dos hombres ya mismo a ese edificio. Verifiquen los buzones para ver cuál departamento figura a nombre de Robert Marshall. Revisen los registros para obtener una descripción de Trini Rodríguez. Llámenme cuando lo hayan hecho —dijo y cerró su teléfono celular—. No queremos caer allá así como así, ¿no?

—Supongo que no —dijo Holly.

36

Cuando el camarero se estaba llevando los platos, sonó la campanilla del teléfono de Lance.

—¿Sí? —dijo él y escuchó por alrededor de un minuto—. Correcto. Pronto. —Cortó la comunicación.— Tu muchacho llegó a su casa hace cinco minutos. Qué amable de su parte no perturbar nuestra cena.

Stone le hizo señas al camarero de que le llevara la cuenta y la firmó.

—¿Todos están armados? —preguntó Lance—. ¿O yo tengo que pensar en todo?

Stone y Holly asintieron.

—¿Tienes esposas, Holly?

—Sí, dos pares.

—¿Vamos, entonces? —Lance apartó la silla de la mesa, se puso de pie y los condujo a su automóvil—. Dobla a la izquierda —le dijo al conductor— y después avanza una cuadra y media. Uno de nuestros automóviles ya se encuentra allí.

El chofer hizo lo que le pedían y el vehículo se detuvo junto a otro automóvil negro. Lance bajó el cristal de la ventanilla e hizo una seña hacia las ventanillas polarizadas. Un hombre se bajó y subió al asiento delantero del automóvil de Lance.

—Dime —dijo Lance.

—Su hombre regresó hace diez minutos. Su aspecto concordaba con la fotografía del registro, incluyendo su cabello peinado en una cola de caballo. Vive en el último piso al frente; se pueden ver las luces que tiene encendidas.

Lance miró hacia las ventanas.

—Sí. Las escaleras para incendios están en el frente del edificio. Quiero a tu compañero en la parte de abajo. Después tenemos que ocuparnos del techo del edificio.

—Estuve hablando con el encargado y eché un vistazo hacia adentro. Hay una puerta y una escalera que conduce al techo desde el piso superior.

—De acuerdo. Quiero que tú subas al techo y esperes a que alguien atraviese la puerta a toda velocidad y, por el amor de Dios, que nadie nos dispare a uno de nosotros. Mis amigos preferirían apresar al hombre con vida, pero no quiero que para conseguirlo ninguno de ustedes corra peligro. Te daremos una ventaja de tres minutos y entonces entraremos.

El hombre bajó del coche y entró en el edificio.

—Esto es lo que haremos —dijo Lance—. Los tres entraremos en el edificio y subiremos por la escalera al piso superior, departamento del frente. Holly, tú llamarás a la puerta y después permanecerás parada dándole la espalda, para que él sólo pueda ver por la mirilla la nuca de una mujer. En cuanto abra la puerta, Stone y yo entraremos corriendo y tú nos seguirás. Nos concentraremos en Trini. Será responsabilidad tuya evitar que cualquiera que esté en la habitación nos dispare a Stone y a mí. ¿Entendido?

—Por mi parte, todo bien —dijo Holly.

Stone asintió.

Los tres se bajaron del automóvil, se acercaron al edificio y entraron por la puerta del frente, cuyo pestillo se mantenía abierto con una cinta adhesiva. Lance se llevó un dedo a los labios y luego inició el ascenso hacia el tercer piso. Se agachó frente a la mirilla y se instaló a la izquierda de la puerta, mientras Stone hacía otro tanto a la derecha. Lance inclinó la cabeza hacia Holly.

Holly llamó suavemente a la puerta. No hubo respuesta. Entonces llamó más fuerte y se dio media vuelta.

—¿Quién está allí? —preguntó una voz amortiguada desde adentro.

—Servicio de acompañantes —contestó Holly, todavía de espaldas a la puerta.

Alcanzaron a oír el ruido de la cadena que se soltaba y la puerta se entreabrió unos centímetros.

—Nosotros no pedimos ningún acompañante —dijo él.

Simultáneamente. Lance y Stone empujaron la puerta y derribaron al hombre. Entraron corriendo en la habitación, las armas empuñadas, con Holly detrás de ellos.

El hombre tendido en el piso no era Trini, y en el cuarto había otros tres hombres, dos de los cuales apuntaban sus armas hacia Lance, Stone y Holly. Trini estaba allí, pero no tenía arma de fuego.

—¡Quietos, FBI! —gritó uno de los hombres armados.

—¡Policía! —gritó Holly y mostró su placa—. ¡Tengo una orden de arresto para Rodríguez! Quiero ver sus identificaciones.

Un agente buscó su identificación sin dejar de apuntarlos.

—¿Quienes son esos dos hombres?

Stone les mostró su placa de Orchid Beach.

—Es un compañero nuestro —dijo Lance—. ¿Podríamos todos dejar de apuntarnos mutuamente?

Los agentes no se movieron y ahora el que había quedado tendido en el suelo estaba nuevamente de pie.

Holly sacó la orden de arresto de su bolso y la sostuvo delante de ellos.

—Ésta es la orden de arresto de un fugitivo expedida por el estado de Florida para Trini Rodríguez. Lo llevaré allá de regreso para que sea juzgado por una acusación de homicidios múltiples.

—Muy bien, quiero que todos se distiendan —dijo el agente—. Y que guarden sus armas.

Los hombres del FBI así lo hicieron, lo mismo que Holly, Stone y Lance.

—Muy bien, señora —dijo el agente—, aguarde un minuto. ¿Puedo ver de nuevo su identificación?

Holly le entregó su billetera en la que tenía su placa y su identificación.

—De acuerdo, jefa, tengo que hacer un llamado telefónico. —Tomó el teléfono que había sobre la mesa de café y marcó un número.— Pásame con Harrison —dijo. Por un momento dio unos golpecitos con el pie y luego se puso firme—. Señor Harrison, habla Carson, del departamento de la calle 88. Aquí tengo a una señora policía que me mostró una orden de arresto para nuestro huésped.

Holly centró su atención en Trini, quien la miraba fijo como si quisiera estrangularla.

—Estás perdido, Trini —le dijo ella—. Ahora eres mío.

En el rostro de Trini se dibujó una sonrisa malévola..

—Ya veremos —dijo—. Te mataré después de violarte varias veces y también mataré a tu padre y a tu perra.

—Lo espero con impaciencia —dijo Holly.

—Sí, señor —estaba diciendo el agente—. Se lo transmitiré a ella. —Cortó la comunicación y miró a Holly.— Su orden de arresto está invalidada por una orden federal existente y por consideraciones relativas a la seguridad nacional. Me veo obligado a pedirles a usted y a los suyos que abandonen este lugar.

—¿Qué quiere decir exactamente con eso de una orden federal? Veámosla.

—Está archivada en nuestra oficina de Nueva York. Puedo hacer que mañana se la envíen por fax, si usted me da un número. Mientras tanto, mis órdenes son pedirle que abandone este departamento y que, si usted se niega a hacerlo, la arreste por obstrucción a la justicia.

—Ahora escúcheme usted —dijo Holly.

—Holly —dijo Stone.

—¿Qué?

—Tenemos que irnos.

—Yo no me voy a ninguna parte.

—Tenemos que irnos de aquí o terminaremos en el centro federal de detención del centro de la ciudad.

—Él tiene razón, Holly —dijo Lance, la tomó del codo y la condujo hacia la puerta.

Stone la tomó del otro codo y ambos consiguieron llevarla al hall. La puerta se cerró con fuerza detrás de ellos y se oyó el ruido de los cerrojos de seguridad.

—Gracias por su apoyo, muchachos —dijo Holly.

—Stone tiene razón, Holly. Legalmente, tu posición es equivocada.

Habían comenzado a bajar por la escalera.

—Holly —dijo Stone—, si quieres aprenderlo, tendrás que dirigirte a un juez federal y obtener una orden de la corte para quitarle a Trini el estado de Testigo Protegido y darle precedencia a tu orden de arresto.

—¿Cuánto llevará eso? —preguntó Holly cuando salían del edificio.

—La oficina del Procurador General de los Estados Unidos luchará por ello. Habrá una audiencia… quizá más de una. Eso llevará semanas.

Subieron al automóvil.

—O —dijo Lance— podrías sencillamente matarlo.

Holly sonrió.

—Tú sí que haces que una muchacha se sienta mejor —dijo.

37

Los tres permanecieron sentados en el automóvil de Lance, a media cuadra del edificio. Habían estado esperando durante media hora.

—¿Por qué pensamos que van a salir pronto? —preguntó Holly.

—Porque no lo van a mantener en un lugar que ya no lo protege de ti —respondió Lance—. Lo sacarán en cuanto consigan otro lugar.

Pasó otra media hora. De pronto una camioneta oscura dobló hacia la calle y se detuvo frente al edificio. En el techo tenía una antena de radio. Un momento después Trini y los cuatro agentes del FBI salieron del edificio, dos de los cuales transportaban maletas.

—Tenías razón, Lance —dijo Stone—. Lo están mudando.

Lance le dijo al chofer:

—Sigue esa camioneta, pero manténte a bastante distancia.

La camioneta arrancó, dobló en la esquina y avanzó por la Segunda Avenida. El tráfico estaba bastante pesado. La siguieron por la Segunda Avenida hasta la calle 66, donde dobló a la derecha y se dirigió al oeste, prosiguiendo por Central Park.

—Parece que lo están mudando al extremo oeste de la ciudad —dijo Stone—. Me pregunto por qué no lo sacan de Nueva York, por qué no lo envían a Minneapolis o a Seattle o a algún lugar donde a nadie se le ocurriría buscarlo.

—Porque alguien con el aspecto de Trini se destacaría enseguida entre los blancos —respondió Lance—. Tendrían que haberlo enviado al sudoeste, pero no lo hicieron.

La camioneta salió del parque y siguió avanzando hacia el oeste en dirección a la Onceava Avenida, donde dobló hacia el centro de la ciudad.

—¿Tal vez a Chelsea? —aventuró Stone.

—Tal vez no —contestó Lance—. Esperemos a ver qué hacen.

Cuando la camioneta se aproximaba a la calle 42, se pasó al carril izquierdo.

—Van hacia el Túnel Holland —dijo Stone.

El vehículo dobló hacia la izquierda, luego a la derecha y entró en el túnel.

—Mantente bien lejos —le repitió Lance al conductor.

La camioneta salió del túnel y entró en la Ruta 3 Oeste.

—Esto comienza a parecerme conocido —dijo Stone.

—¿Qué quieres decir? —preguntó Lance.

—Es la ruta al Aeropuerto Teterboro.

—Ah —dijo Lance—. Quizá *realmente* van a sacarlo de aquí.

La camioneta dobló a la Ruta 17 en dirección al norte.

—Efectivamente —dijo Stone.

Varios kilómetros después, el vehículo giró hacia la derecha, junto al cartel del aeropuerto.

—Muy bien, pero ¿qué compañía aérea?

—Las grandes son Atlantic, Millionaire, First y Signature —dijo Stone—. Todas están en el lado oeste de la pista de aterrizaje.

—Están doblando hacia Millionaire —dijo Lance.

—Será mejor que nos detengamos aquí. Ellos verificarán sus identidades en el portón de embarque. Chofer, continúa hasta Atlantic Aviation.

—¿Por qué? —preguntó Lance.

—Porque allí yo podré hacer que entremos a la pista —respondió Stone. Sacó su placa del Departamento de Nueva York y su identificación de Teterboro, y un momento después les abrían el portón que conducía a la rampa—. Apaga las luces, dobla a la derecha y avanza lentamente hacia el sur hasta llegar a la rampa de Millionaire.

Siguieron adelante unos cien metros.

—Frena —dijo Lance y señaló en una dirección—. Un solo aeroplano está listo para el despegue. —Extrajo de la guantera unos binoculares pequeños y miró hacia el avión.— No alcanzo a ver su número de registro.

—Aguarda un momento —dijo Stone—. El avión girará a la derecha cuando abandone la rampa, y entonces podrás verlo.

La puerta del jet se cerró y la máquina comenzó a carretear. Tal como lo había previsto Stone, giró hacia la derecha.

—Lo tengo —dijo Lance mientras anotaba el número—. No muevas el automóvil, sólo deja que el avión siga carreteando y pase junto a nosotros. —Sacó su teléfono celular y oprimió una tecla de llamado rápido.— Habla Echo 4141 —dijo—. Necesito el plan actual de vuelo de la nave que lleva el siguiente número de registro —leyó el número que el avión llevaba en la cola—. Se activará en Teterboro, Nueva Jersey. Necesito su destino y cualquier escala intermedia. —Tapó con una mano el micrófono del teléfono.— En este momento están estableciendo contacto con la computadora del Control de Tráfico Aéreo del Ente Federal de Aviación —dijo hacia el asiento de atrás del automóvil—. ¿Sí? Muchas gracias. Me gustaría que le siguieran el rastro al avión por si cambia de destino y también saber cuál es la hora estimada de aterrizaje en destino. Sí, correcto —dijo y cortó la comunicación—. El destino es Santa Fe, Nuevo México —dijo.

—Me pregunto por qué Santa Fe —dijo Holly.

—Allí Trini se fusionará con la gran población hispánica. Me da la impresión de que es un destino final. Si pensaran ponerlo en un vuelo comercial, irían a Albuquerque. Santa Fe tiene pocos vuelos comerciales, y ninguno tarde por la noche.

—¿Puedes conseguir que alguien cubra la llegada y los siga a su destino? —preguntó Stone.

—Me temo que no puedo extender mi autoridad hasta un lugar tan lejano, puesto que tengo base en Nueva York. Ni siquiera estoy seguro de tener alguien en tierra en Santa Fe. Quizás en Albuquerque sí.

Observaron cómo el jet despegaba y giraba hacia el sudoeste.

—Será mejor que volvamos —dijo Lance.

—¿Te dieron una hora estimada de arribo en Santa Fe? —preguntó Stone.

—Su plan de vuelo es de cuatro horas y diez minutos —respondió Lance.

Stone consultó su reloj.

—En Santa Fe son dos horas menos. ¿Conoces a alguien allá?

—Solía, pero ha pasado mucho tiempo —dijo Stone.

—Vale la pena intentarlo —dijo Holly.

—Qué demonios, lo intentaré —dijo Stone y extrajo su teléfono celular—. En una época hice algunos trabajos para un abogado de allá. Si él me recuerda, tal vez nos ayude. —Marcó el número de Información.— Deseo un número telefónico de Santa Fe, Nuevo México, de la residencia de Ed Eagle —dijo—. Por favor, comuníqueme. —Mientras el teléfono sonaba, le preguntó a Holly—: ¿Realmente quieres perseguirlo?

—Más que nada en el mundo.

—Hola —dijo una voz grave del otro extremo de la línea.

—¿Ed?

—Sí, ¿quién habla?

—Ed, soy Stone Barrington, de Nueva York. Hace unos años hicimos algunos trabajos juntos.

—Por supuesto, Stone. ¿Cómo estás?

—Muy bien, gracias. Espero que también tú estés bien.

—No puedo quejarme. Los negocios son muchos y la vida es dulce.

—Bueno, no se puede pedir más que eso. Ed, necesito hacer algo en Santa Fe y espero que tú puedas ayudarme.

—Lo haré si está a mi alcance. ¿Qué necesitas?

—Necesito un detective privado, o nada más que una persona inteligente, que reciba un jet privado que aterrizará en Santa Fe dentro de aproximadamente cuatro horas. En él viajan entre tres o cinco hombres y quiero que los siga hasta su destino.

—Creo conocer a una persona capaz de hacerlo —dijo Eagle—. ¿Hay alguna otra cosa que yo deba saber?

—Uno de esos hombres es un fugitivo buscado en Florida con orden de arresto. Los otros son agentes del FBI y lo más probable es que los espere un automóvil del FBI.

—¿Un fugitivo viaja con agentes del FBI?

—Es un asunto complicado. Te lo explicaré cuando llegue allá.

—¿Entonces vienes a santa Fe?

—Saldré mañana por la mañana en mi propio avión. Lo más probable es que llegue a tiempo para la cena. ¿Puedes recomendarme un hotel?

—¿Cuántos son ustedes?

—Mi compañera policía y yo.

—¿Pueden compartir la habitación?

—Ya lo creo.

—Entonces insisto en que se alojen en casa. Llámame cuando hagas una escala para reabastecerte de combustible y dame tu hora estimada de arribo, y los iré a buscar.

—Gracias, Ed. Si el destino de esas personas no es local, necesitaré saberlo. Puede que entonces tengamos que cambiar nuestros planes.

—Te llamaré mañana a las ocho de la mañana, hora de Nueva York, y te daré el informe del destino de esas personas.

—Gracias, Ed. Hablaremos entonces. —Cortó. Le dijo a Holly—: Muy bien, nos vamos a Santa Fe.

—¿Seguro que no deberíamos ir en un vuelo comercial?

—Yo no viajo en vuelos comerciales, salvo que tenga que cruzar el océano.

38

A las 7:45 de la mañana siguiente, Stone acababa de terminar de hacer su equipaje cuando sonó la campanilla del teléfono.

—Hola.

—Stone, soy Ed Eagle.

—Buenos días, Ed.

—Mi hombre estaba anoche en el Aeropuerto de Santa Fe cuando el jet en cuestión aterrizó y fue recibido por una camioneta con chapa patente federal. Él siguió al grupo a una casa ubicada en un sector alejado del extremo norte de la ciudad. Al cabo de algunos minutos la camioneta se alejó de la casa con tres ocupantes, lo cual indica que tu fugitivo está en la casa con por lo menos dos agentes.

—Es una muy buena noticia, Ed. Te lo agradezco muchísimo.

—Stone, no sé si has tomado en cuenta las posibles ramificaciones de tratar de arrestar a un fugitivo que ya se encuentra en custodia del FBI.

—Yo sólo estoy ayudando a una amiga —contestó Stone—, y no hago más que recordarle las dificultades involucradas, pero ella tiene la firme decisión de llevarse a ese individuo de vuelta a Florida para su enjuiciamiento.

—Hablaremos más sobre el asunto cuando llegues aquí —dijo Eagle.

—De acuerdo. Haremos una escala en San Luis para reabastecernos de combustible, y yo te llamaré desde allí para darte la hora aproximada de nuestra llegada.

—Un pequeño consejo. Si la provisión de combustible se los permite, mejor hagan la escala en Wichita, donde todo es mucho más rápido.

—Lo recordaré. Primero tenemos que comprobar la dirección del viento; depende de eso.

—Entonces te veré esta noche.

—Gracias de nuevo, Ed.

Holly entró en la habitación.

—¿Qué novedades?

—Están en Santa Fe, y el hombre de Ed los siguió a una casa de esa ciudad, así que es posible que sea el destino final de Trini.

—Yo ya estoy lista para ir.

—Entonces hagámoslo.

Joan los llevó a Teterboro, donde Stone hizo una verificación de prevuelo y obtuvo permiso para despegar. A las nueve de la noche estarían carreteando por la pista.

La ruta los llevó sobre Pennsylvania, Ohio, Indiana e Illinois, y el viento en contra resultó ser lo suficientemente suave como para que Stone hiciera escala en Wichita para cargar combustible. Desde allí se comunicó con Eagle y le dijo que la hora estimada de llegada era las nueve de la noche, hora de Santa Fe.

Ed Eagle se encontraba de pie en la rampa cuando el avión de Stone carreteó hasta el Centro Santa Fe para Jets, y diez minutos después enfilaban hacia la casa de Eagle.

—Hice que un hombre vigilara la casa todo el día —dijo Ed—, y nadie salió de ella.

—¿Dónde queda?

—A unos ocho kilómetros al norte del centro de la ciudad, cerca de Tano Road, sobre la Tano Norte. Ese sector tiene algunas casas nuevas, pero todavía no está del todo edificado. Hay muchos lotes baldíos. Yo ubico la casa porque conocía al individuo que la construyó, y estuve allí un par de veces en fiestas que se celebraron en ella.

—¿Puedes describírmela?

—Es de una sola planta, pues allí hay restricciones con respecto a la altura de los edificios. Tiene tres dormitorios, estudio, sala, comedor, cocina, garaje; es una propiedad con una superficie total de alrededor de 1800 metros cuadrados. Un comprador subsiguiente hizo construir un paredón a lo largo del camino, así que desde la ruta no se puede ver la casa.

—¿La pared se extiende alrededor de toda la casa?

—No. Es posible acercarse a ella a pie, pero el terreno es

bastante desparejo: en la propiedad hay arroyos y barrancos. Yo cerré la operación cuando el comprador original adquirió la propiedad y, por lo que recuerdo, el terreno es de alrededor de cinco hectáreas. No hay más casas dentro de un radio de, digamos, 152 metros. También tiene una piscina y una cabaña, una cancha de tenis y una casa de huéspedes.

—Suena bastante sofisticado para alguien que integra el Programa de Protección de Testigos.

—Yo pensé lo mismo. Tal vez es una manera de señalar el camino de su destino final.

—También me parece demasiado sofisticado para ser una propiedad del FBI.

—Sí. En mi opinión, pertenece a alguien que tiene una relación de amistad con el FBI —tendré que revisar los registros de propiedad para averiguar quién— y tienen al hombre que ustedes buscan alojado en la casa de huéspedes. Si estoy en lo cierto, tal vez significará que es más fácil para él salir de allí. La casa de huéspedes tiene su propio camino de acceso a la ruta.

—¿Esta noche podremos echarle un vistazo? —preguntó Holly.

—Estoy seguro de que no querrán hacer eso. Están cansados, no conocen el terreno y nos espera una cena.

—Tranquila, Holly —dijo Stone—. No me parece que Trini planee ir a ninguna parte.

—Bueno, está bien —dijo Holly con un suspiro.

Ed los transportó por la aldea de Tesuque, al norte de Santa Fe, y subió a las colinas por encima de la aldea, y después giró hacia un camino marcado por una enorme águila de piedra instalada sobre una roca grande.

La casa era espaciosa y cómoda, y el cuarto de huéspedes era muy atractivo.

—Pueden refrescarse primero. Después los estará esperando una copa, y la cena, dentro de pocos minutos —dijo Ed.

Stone se lavó la cara y se peinó.

—¿Estás lista? —le preguntó a Holly.

—Ve tú y sírvenos una copa. Yo iré en un par de minutos.

Stone encontró a Ed en la cocina, donde de una sartén brotaban murmullos muy tentadores.

—Las bebidas están en ese gabinete —dijo Ed y lo señaló—. Sírvanse lo que quieran.

Stone encontró una selección de media docena de bourbons y sirvió para Holly y para él un poco de Knob Creek.

—Esa señora que trajiste parece furiosa con ese individuo —comentó Ed.

—Eso es quedarse corto. Lo persigue con un desenfreno temerario. Anoche lo localizamos y lo apresamos en Nueva York, pero eso fue antes de descubrir que un grupo de agentes del FBI lo estaban protegiendo.

—¿Cómo averiguaste que se lo llevaban a Santa Fe?

—Los seguimos a Teterboro y un amigo consiguió un informe de su plan de vuelo. En ese momento te llamé.

—Stone, no sé cuál es tu relación con esa señora, pero creo poder adivinarlo. ¿Seguro que no estás haciendo todo esto por cuestiones sentimentales?

—No, no estoy nada seguro —respondió Stone—. No hago más que preguntármelo, pero de pronto me encontré metido en este lío y, además, me gustaría ayudar a Holly a conseguir lo que quiere.

—Yo me alegro de ayudarlos en todo lo que está a mi alcance, Stone, pero procura que yo no quede involucrado en un secuestro.

—No te preocupes, me ocuparé de que nada de eso suceda, Ed. ¿Cómo está la vida para ti en estos días?

—Excelente. Me casé hace unos años, pero esta semana ella está en un spa en California, sometiéndose a un tratamiento de revitalización y todas esas cosas.

—Lamento no tener oportunidad de conocerla.

—Será en otra ocasión.

Holly se reunió con ellos y Stone le entregó su copa.

—¿Hay alguna manera en que podamos averiguar esta misma noche quién es el dueño de esa casa? —preguntó ella—. Eso me ha estado preocupando.

Ed tomó el teléfono y marcó un número.

—¿Sharon? Soy Ed Eagle. ¿Recuerdas la casa que construiste en Tano Norte?... Sí, ésa. ¿Tienes idea quién es su propietario actual?... ¿En serio?... ¿Desde cuándo?... Sólo por curiosidad. Muchísimas gracias. —Y cortó.— Ésa era la contratista de la casa. Dice que su dueño actual es Byron Miller.

—¿Quién es? —preguntó Holly.

—Es el Procurador General para nuestro distrito, y te aconsejo que no intentes sacar a tu hombre de su propiedad. Él podría hacerte cosas muy desagradables.

—Fantástico —dijo Holly y comenzó a beber su bourbon.

39

Ed Eagle los estaba aguardando cuando Stone y Holly entraron en la cocina a desayunar.

—Veo que te levantas temprano —dijo Stone.

—Tengo una audiencia a las nueve en punto y ayer no tuve tiempo para prepararme a fondo para ella —explicó Ed. Desplegó un mapa sobre la mesa de la cocina—. Quiero mostrarles exactamente dónde está la casa en Tano Norte —dijo y señaló—. Tienen que retroceder a Tesuque, después tomar la carretera principal hacia el sur. Hay mucha construcción por esa zona, así que han anulado la vieja entrada a Tano Road, razón por la cual tendrán que tomar esta ruta y doblar a la derecha en la primera salida. —Trazó una línea sobre el mapa con un resaltador.— Tano Norte nace de Tano Road en este punto, y la casa está a otro kilómetro y medio por el camino. Podrán ver la casa desde una colina en ese lugar, pero cuando lleguen al lugar sólo verán una pared. Mi hombre todavía está allí, y esta mañana pienso poner punto final a su vigilancia, a menos que ustedes quieran pagarle 300 dólares la hora.

—Sí, sácalo, y yo te reembolsaré lo que le has pagado hasta ahora —dijo Holly—. Mi departamento tiene fondos discrecionales para esta clase de cosas.

—Es sólo una conjetura de mi parte, pero no creo que Byron Miller le dé alojamiento por mucho tiempo a un delincuente. O quiere algo de ese tipo o el lugar donde van a llevarlo todavía no está listo. Lo cierto es que creo que van a mudarlo bien pronto.

—¿Qué clase de persona es Miller? —preguntó Stone.

—Un idiota rematado. No le cae bien a ninguno de los abogados que conozco, y se jacta de ser considerado un hombre recio. Si llegas a cruzarte con él, lo primero que hará será hacerte quedar en ridículo y sólo después te hará preguntas. —Ed les entregó una tarjeta y las llaves del automóvil.— Éste es el número de teléfono de mi estudio y también el de mi celular. Pueden usar el jeep que está afuera durante todo el tiempo en que mi mujer esté ausente, y se supone que no volverá hasta la semana próxima. En la guantera hay un par de binoculares. ¿Ustedes tienen un teléfono celular?

Stone anotó el número de cada uno de los celulares.

—De acuerdo, que les vaya bien —dijo Ed y se fue.

Stone y Holly siguieron las indicaciones de Ed, y Stone detuvo el jeep Grand Cherokee en la cima de una colina.

—Aquella es la casa —dijo y señaló una construcción de color adobe ubicada a un kilómetro y medio de donde se encontraban—. Echémosle un vistazo más de cerca. —Condujo el vehículo lentamente por el camino, disfrutando del paisaje que había hacia el norte, hasta que llegaron a una pared muy extensa.

—Ese lugar parece un monasterio —comentó Holly mientras señalaba la campana que había sobre el portón de entrada.

—Creo que será mejor que peguemos la vuelta —dijo Stone y señaló un cartel que indicaba que el camino terminaba allí—. No podemos instalarnos justo delante de la entrada. —Llevó el vehículo a la cima de la colina, desde donde podían ver la casa.— Cualquiera que abandone la propiedad forzosamente tendrá que pasar por aquí. No hay otro camino. —Dobló por un camino de tierra que terminaba en un claro y orientó el vehículo hacia la casa.— Desde aquí la vista es espléndida —dijo, bajó las ventanillas y tomó los binoculares de la guantera.

—¿Así que nos vamos a quedar aquí sentados? —preguntó Holly.

—No podemos irrumpir allí y llevarnos a Trini —dijo Stone—. Ya sabes de quién es la casa. —Enfocó los binoculares en la casa.— Nadie se mueve.

Se quedaron allí sentados durante tres horas, escuchando la radioemisora local y vigilando la casa. Comenzó a hacer calor.

—Esto es realmente aburrido —dijo Holly.

—Por lo visto nunca has tenido que hacer muchos trabajos de vigilancia —le contestó Stone.

—Es verdad, no, y ahora sé por qué. Me gusta mantenerme en movimiento.

—Te propongo una cosa. ¿Por qué no te vas en el jeep a Tesuque y compras unos sandwiches para los dos? Yo me quedaré aquí y no apartaré la vista de la casa.

—¿Qué pasará si Trini se va?

—Te llamaré al teléfono celular y tú podrás adelantarte a ellos.

—¿Y dejarte aquí sentado?

—Si tu llegas a tener que seguir a alguien yo llamaré a Ed o a un taxi —dijo Stone al apearse del vehículo.

Holly se instaló en el asiento del conductor.

—¿Qué quieres tú?

—Un sandwich y una bebida dietética me bastarán.

—Te veré pronto —Holly encendió el motor y avanzó hacia Tano Norte.

Stone se ubicó debajo de un pino y contempló el paisaje. Hacia la izquierda se elevaba una serie de montañas y, por el mapa, calculó que era allí donde estaba Los Álamos. Se suponía que el Río Grande debía estar por esa zona, pero él no alcanzó a verlo. Observó atentamente distintos puntos del paisaje con los binoculares sin dejar, cada tanto, de vigilar la casa.

Comenzó a adormilarse y se puso de pie para que la sangre le circulara más por el cuerpo. ¿Qué demonios hacía él allí, en lo alto del desierto, vigilando una casa y esperando que Trini se mudara? Debería estar en Nueva York, trabajando y ganando dinero, en lugar de permitir que esa muchacha lo arrastrara por todo el país.

Holly volvió con los sandwiches y acababan de comenzar a comerlos cuando notaron movimientos en la casa.

—Veo algunas personas allá abajo —dijo ella y le arrancó los binoculares de las manos.

Cuatro individuos se habían materializado de alguna parte y estaban de pie alrededor de un automóvil, hablando.

—¿Uno de ellos es Trini? —preguntó Stone.

—Eso creo. Aunque me cuesta asegurarlo desde aquí.

Las personas siguieron conversando; luego subieron a dos automóviles, abandonaron la casa y avanzaron por el camino hacia ellos.

—Se están mudando —dijo Holly.

Stone puso en marcha el motor del jeep y condujo el vehículo de vuelta a Tano Norte.

—Echemos un vistazo al interior de esos automóviles —giró en el camino y después se detuvo en la banquina y sacó el mapa—. Voy a fingir estar estudiando el mapa. Mientras tanto, tú observalos cuando pasen y comprueba si él viaja en ellos.

—Muy bien.

Stone interpretó el papel de un turista estudioso y un minuto después los dos automóviles pasaron junto al jeep.

—El segundo vehículo —dijo Holly—. Trini está en el asiento de atrás. ¡Vamos!

—Aguarda un minuto. No los sigamos de demasiado cerca. —Dejó que los otros tomaran la delantera y entonces avanzó. Cuando llegaron a la parte pavimentada del camino, Stone señaló hacia lo lejos.— Allí está.

—No lo pierdas —dijo Holly.

Stone aceleró para no perder de vista el automóvil. Lo siguió por la carretera principal y también cuando enfiló hacia el pueblo. Continuó siguiendo el vehículo hasta que entró en el estacionamiento de un enorme edificio a poca distancia de la ciudad. Señaló un cartel.

—Es el palacio de justicia federal —dijo—. Deben de estar llevándolo a la oficina del Procurador General de los Estados Unidos.

—O Trini va a testificar en una causa —dijo Holly y abrió la portezuela.

—¿Adónde vas? —preguntó Stone.

—Voy a seguirlos —respondió ella—. Tú encárgate de estacionar el jeep.

—¿Cómo sabré adónde estás?

—Si Trini va a prestar testimonio, irán a la sala de un juzgado, ¿no?

—Eso no lo puedo discutir. —Stone encontró un lugar para estacionar y la siguió al Palacio de Justicia.

40

Stone se detuvo frente al escritorio donde se encontraba el detector de metales y mostró su placa de Orchid Beach.

—Estoy armado —dijo.

—Lo lamento, teniente —dijo el guardia—. Sólo los oficiales federales pueden portar armas en el interior del Palacio de Justicia. Tendrá que registrar su arma. —Stone le entregó al hombre su Walther y obtuvo un recibo, y luego pasó por el detector de metales y entró en un pasillo.

Su teléfono celular vibró.

—Hola.

—Soy Dino. ¿Nos reunimos esta noche en Elaine's?

—Lo siento, pero queda demasiado lejos.

—¿Qué?

—Estoy en Santa Fe, Nuevo México.

—¿Qué demonios haces allá?

—Estoy con Holly. Esto tiene que ver con Trini; lo seguimos hasta aquí.

—Has perdido el juicio —dijo Dino con tono agradable—. Quiero decir, entiendo que hagas todo esto para poder acostarte con esa muchacha, pero…

—Dino, esto no tiene nada que ver con sexo.

—Sí, claro.

—Bueno, al menos no demasiado. Comparto su furia por el hecho de que el FBI permite que ese hombre esté libre, eso es todo, y me preocupa que ella esté haciendo todo esto sola.

—Mira, si no tienes cuidado tendrás que seguir preocupado en una prisión federal. Lance me contó todo lo referente al intento de ustedes de llevarse prisionero al individuo. Ya te lo advirtieron, entonces ¿por qué insistes?

—Si quieres que te diga la verdad, mi paciencia se está acabando. Estoy deseando volver a Nueva York.

—Llámame cuando llegues. Cenaremos juntos y yo te haré entrar en razones —dijo Dino y cortó.

Stone guardó el teléfono y paseó la vista en ambas direcciones. Ni rastros de Holly. Encontró la sala de un juzgado y espió hacia adentro. Estaba llena hasta la mitad, pero todavía el juez no se encontraba en el estrado, a pesar de lo cual Holly estaba instalada en la última fila de asientos. Él entró y se sentó junto a ella.

—¿Qué está pasando?

—Trini y dos agentes del FBI están sentados en la primera fila, detrás de la mesa del fiscal —dijo ella y asintió—. El que está sentado a la mesa debe de ser Byron Miller.

Stone miró a los dos hombres ubicados allí, que le daban la espalda.

—Si el Procurador General en persona está manejando este caso, entonces debe de ser muy importante.

Un alguacil se puso de pie y recitó el nombre del juez, y los asistentes permanecieron parados hasta que él se sentó.

—Señor Miller, puede usted llamar a su siguiente testigo —dijo el juez.

Miller se puso de pie y llamó a Trini, y luego aguardó a que éste prestara juramento y se sentara.

—Señor Rodríguez —dijo—, ¿era usted, hasta hace muy poco, miembro del crimen organizado?

—Sí —contestó Trini—. Hasta fines del año pasado trabajé para una "familia" en Florida.

—¿Con "familia" se refiere usted a una familia de la Mafia?

—Sí.

—¿Cuáles eran sus obligaciones?

—Disponer préstamos para quienes los solicitaban y ocuparme de recaudar dinero.

—¿Préstamos de la familia de la Mafia?

—Sí.

—¿Esos préstamos se les otorgaban a personas que no podían obtenerlos de los bancos convencionales?

—Sí.

—¿Las tasas de interés de dichos préstamos eran desusadamente altas?

—Sí.

—¿Esa organización era, de hecho, una compañía de préstamos ilegal y usurera?

—Sí, lo era.

—¿Asistió usted a una reunión de figuras del crimen organizado el 10 de junio del año pasado en Miami, Florida?

—Sí lo hice —dijo Trini.

—¿Cuál era la finalidad de esa reunión?

—Algunas personas de Nuevo México querían obtener financiación para un nuevo hipódromo.

—¿Alguna persona presente en esa reunión se encuentra aquí, en esta sala?

—Sí.

—¿Podría señalarlo?

Trini señaló la mesa de la defensa.

—Esos dos caballeros que están allí.

—Que en el registro figure que el señor Rodríguez está señalando a los dos acusados, Roberto y Chico Rivera —Miller volvió a dirigirse a Trini—. ¿La organización para la que usted trabajaba les hizo un préstamo a los hermanos Rivera?

—Sí.

—¿De qué suma de dinero?

—Dos millones de dólares.

—¿Y cuál era el destino de esos fondos?

—Sobornar a los funcionarios de Nuevo México para poder obtener una licencia para construir el hipódromo.

—¿Supo usted si habían tenido éxito en ese soborno?

—Sí. Supimos que lo habían conseguido.

—Gracias, señor Rodríguez —se dirigió a la mesa de la defensa—. Su testigo.

El abogado de la defensa se puso de pie y comenzó a bombardear a Trini con preguntas.

Holly se inclinó hacia Stone y le susurró:

—¿Durante cuánto tiempo crees que continuará esto?

—No creo que mucho. Salgamos un momento.

Se pusieron de pie y salieron al pasillo.

—Podríamos detenerlo cuando salga de la sala del juzgado —dijo Holly.

—No en un lugar que es propiedad de los federales —respondió Stone—. Tu orden de arresto no tiene validez aquí, a menos que consigas que un juez federal la firme.

—Entonces hablaré con el juez de esta causa cuando Trini acabe de testificar —dijo Holly.

Stone se encogió de hombros.

—Puedes intentarlo.

—Gracias, señor Rodríguez —dijo el juez—. Haremos un receso de quince minutos antes de continuar con el siguiente testigo. —Se puso de pie y abandonó la sala.

—Vayamos —dijo Holly. Se acercó al alguacil y le mostró su placa—. Me gustaría ver al juez, por favor.

—¿Por qué asunto?

Holly le mostró sus papeles.

—Tengo una orden de arresto para un individuo acusado de fugitivo que es testigo en esta causa.

—Aguarde un minuto. —El alguacil tomó la orden de arresto y desapareció por una puerta. Transcurrieron cinco minutos hasta que regresó, se acercó a la mesa del querellante y habló con Byron Miller, quien se puso de pie y lo siguió al despacho del juez. El alguacil les hizo señas a Holly y a Stone de que lo siguieran.

El juez se encontraba sentado frente a su escritorio comiendo un sandwich, con la toga apoyada sobre una silla.

—¿Usted es la jefa Barker? —le preguntó a Holly.

—Sí, Su Señoría, y éste es mi socio, Stone Barrington.

—Éste es el Procurador General de los Estados Unidos, el señor Byron Miller —dijo el juez e indicó a Miller con la cabeza—. Por favor, todos tomen asiento.

Eso hicieron.

—Señor Miller, esta oficial de policía me ha entregado lo que parece ser una orden de arresto correctamente dictada, con cargo de fugitivo, de su testigo, el señor Rodríguez, acusado de homicidios.

—Son doce homicidios, Su Señoría —precisó Holly.

—¿Terminó usted con el señor Rodríguez? —le preguntó el juez a Miller.

—Sí, señor juez —respondió Miller—, pero el Procurador General ha incluido al señor Rodríguez en el Programa de Protección de Testigos. Hace poco ha desempeñado un papel muy importante en la destrucción de una red terrorista en Nueva York, y el FBI me ha informado que prestará testimonio en otros juicios venideros. Es importante que permanezca en custodia federal hasta que el gobierno haya terminado con él.

—Su Señoría —dijo Stone—, el hecho de que el señor Rodríguez haya sido incluido en el Programa de Protección de Testigos indica que, incluso cuando el gobierno haya terminado con él, no tienen intenciones de devolverlo a la jurisdicción de Florida para que sea juzgado por esas acusaciones de homicidio. Le van a permitir quedar en libertad.

—¿Es así, señor Miller? —preguntó el juez.

—Yo no puedo hablar por el procurador general en este asunto, señor juez.

—Pues lo ha estado haciendo hasta ahora. ¿Por qué, de pronto, parece tan cohibido?

—Su señoría, sólo puedo decirle que este testigo es crucial para más de una causa contra los acusados, quienes son mucho peores que él, y que es preciso que esté en custodia federal hasta que termine de prestar testimonio.

—¿Y cuándo calcula usted que será eso?

—No podría decirle, Su Señoría, puesto que las causas están diseminadas por más jurisdicciones que ésta.

El juez volvió a ojear la orden de arresto.

—Bien —dijo—, confieso que todo esto no me gusta nada. Estamos frente a homicidios atroces, y al gobierno no debería permitírsele pasarlos por alto y darle a este testigo una protección que impide que se haga justicia. Voy a autorizar a la jefa Barker a hacer valer esta orden de arresto, a llevarse en custodia al señor Rodríguez y a llevarlo a su jurisdicción para ser juzgado. Si el gobierno quiere que testifique en juicios futuros, pueden solicitarle al juez que entiende en la causa que otorgue una custodia temporaria.

—Gracias, señor juez —dijo Holly y le dedicó una enorme sonrisa.

—Desde luego, su orden sólo tendrá validez en esta jurisdicción, Su Señoría —dijo Miller con tono ladino.

—Así es —dijo el juez. Puso su sello en la orden de arresto de Holly y la firmó. —Muy bien, regresemos a la sala para continuar con nuestro juicio.

Todos se pusieron de pie y salieron del despacho.

Holly se acercó a la mesa de la acusación, donde Byron Miller hablaba por su teléfono celular.

—Señor Miller, ¿dónde está ahora Rodríguez?

—Me temo que no lo sé —respondió Miller.

—Se hospeda en su casa. ¿Lo encontraré allí?

—Como ve, en este momento estoy hablando por teléfono —fue la respuesta de Miller—. Tenga la bondad de excusarme.

El alguacil volvió a convocar la causa y todos los asistentes se pusieron de pie cuando entró el juez.

—Salgamos de aquí, Holly —dijo Stone.

—¿Qué han hecho con él? —preguntó Holly cuando estuvieron en el pasillo.

—No lo sé, pero será mejor que lo encontremos antes de que abandone esta jurisdicción —contestó Stone.

41

Stone y Holly fueron hacia el estacionamiento y buscaron el automóvil que había llevado a Trini al Palacio de Justicia. No estaba por ninguna parte.

—Vayamos a la casa de Miller —propuso Holly—. Ahora que tenemos una orden de arresto válida, podremos entrar.

—De acuerdo —dijo Stone. Volvió a tomar la ruta a Tano Road y giró hacia Tano Norte—. No puedo creer que finalmente tengamos una herramienta legal para arrestar a ese individuo. ¿Dijiste que habías traído esposas?

—Dos pares —dijo Holly—. Lo ataré como si fuera un pavo para el Día de Acción de Gracias.

Llegaron a la casa de Miller y encontraron los portones todavía cerrados. Stone sacó un brazo por la ventanilla y oprimió el botón del intercomunicador.

—¿Sí? —preguntó una voz de mujer.

—Es la policía. Por favor, abra los portones.

Se oyó un sonido como de chicharra y los portones se abrieron lentamente. Stone estacionó y ambos caminaron hacia la puerta del frente y tocaron el timbre. Un momento después, una mujer hispánica se acercó a la puerta.

—¿Sí?

—Tengo una orden de arresto para Trini Rodríguez —dijo Holly.

—Aquí no hay nadie —respondió la mujer.

—¿Y en la casa de huéspedes?

—Tampoco. Yo acabo de limpiarla. Los tres hombres que se hospedaban allí se fueron al aeropuerto.

—¿Hace cuánto tiempo? —preguntó Holly.

—Alrededor de diez, quince minutos.

—¿Cómo llego al aeropuerto?

—Tiene que regresar a Tano Road, después doblar a la derecha en la intersección y después nuevamente a la derecha hacia la autopista de cuatro carriles. Eso los llevará directamente al aeropuerto.

Corrieron hacia el automóvil y tomaron a toda velocidad Tano Road, luego encontraron la intersección que conducía a la autopista. Stone conducía casi a 160 kilómetros por hora.

Holly, con expresión sombría, en el asiento del acompañante, sujetaba con fuerza la orden de arresto.

—Ojalá tuviéramos una sirena —dijo.

—No creo que este auto fuera más rápido si tuviéramos una sirena.

Siguieron las indicaciones de los carteles, llegaron al aeropuerto, dejaron el vehículo y corrieron hacia el Santa Fe Jet Center, atravesaron el edificio y salieron a la rampa. El jet que habían seguido desde Teterboro ya carreteaba por la pista y Holly echó a correr tras él.

—¡No, no! —le gritó Stone y ella se detuvo—. Ese avión debe de estar avanzando a por lo menos unos 50 kilómetros por hora sobre la pista. —Señaló la torre de control.— Es allí adonde tenemos que ir.

Atravesaron a toda velocidad la corta distancia que los separaba del edificio principal de la terminal aérea y subieron por la escalera hacia la torre de control. Cuando llegaron a la cima se toparon con una puerta cerrada con llave y un intercomunicador. Stone tocó el timbre.

—¿Sí?

—Somos de la policía. Tenemos que impedir que un avión despegue.

La puerta se abrió con un zumbido y el único ocupante de la torre se puso de pie.

—Veamos sus identificaciones —dijo.

Stone y Holly les mostraron sus respectivas placas.

—Es el jet que en este momento carretea por la pista —dijo Stone. Corrió hacia el ventanal y lo señaló. En ese momento el jet se dirigía a la pista de despegue.

—Acaban de solicitar autorización para vuelo por instrumentos y los autoricé a despegar.

Stone tomó un micrófono y se comunicó con la aeronave.

—¿Sí, torre de control?

—Habla la policía. Tenemos una orden de arresto para uno de sus pasajeros, Rodríguez. Entre por la calle de carreteo número 20 a la izquierda y regresen al aeropuerto.

—Aguarde un momento, Santa Fe. —Se hizo medio minuto de silencio y luego el piloto volvió a aparecer en línea.— Lo lamento, Santa Fe, el FBI me ordena continuar con el vuelo. Tengan ustedes buenos días.

—¡Demonios! —exclamó Stone.

—¿Qué podemos hacer? —preguntó Holly.

El controlador de vuelo de la torre dijo:

—Puedo comunicarme con el Centro de Albuquerque por una línea terrestre.

—No serviría de nada —dijo Stone—. Recibirían la misma respuesta que nosotros.

—¿De modo que no hay nada que hacer? —preguntó Holly.

—Eso parece —contestó Stone—. Gracias por su ayuda —le dijo al controlador aéreo.

—De nada.

—¿Podría revisar su plan de vuelo para que sepamos cuál es su destino?

El controlador tomó una grabación y la consultó.

—Teterboro, Nueva Jersey. El tiempo en ruta es de tres horas y quince minutos.

—Muchísimas gracias.

Abandonaron la torre de control y regresaron al automóvil.

—¿Así que volvemos a Teterboro?

—Sí, pero ellos nos llevarán horas de delantera. Nuestro tiempo estimado de vuelo hacia allá será de alrededor de siete horas, incluyendo una escala para cargar combustible.

—De modo que volvimos a perderlo.

—Tal vez no del todo. —Stone extrajo su teléfono celular y llamó a Dino.

—Bacchetti.

—Dino, habla Stone.

—¿Sigues en Santa Fe?

—Sí, pero hoy regresaremos. Quería pedirte un favor.

—No me digas.

—Un jet acaba de despegar de Santa Fe con Trini Rodríguez a bordo. —Le dio a Dino el número que el avión tenía inscripto en la cola.

—¿Quieres que lo derribe?

—No exactamente. Aterrizará en Teterboro dentro de alrededor de tres horas y media, y se detendrá en Millonaire. ¿Puedes hacer que alguien espere el jet y siga a sus ocupantes adonde quiera que vayan?

—Bueno, no puedo enviar a un policía a Nueva Jersey para que lo haga, pero supongo que yo mismo puedo cumplir esa misión.

—Estaré en deuda contigo por esto.

—Ya lo creo que sí. Las próximas cuatro cenas en Elaine's las pagarás tú.

—Trato hecho. Puedes comunicarte conmigo a mi teléfono celular. —Cortó y encendió el motor del vehículo.— Dino irá a esperar el vuelo y a comprobar adónde llevan a Trini.

—Ésa sí que es una buena noticia.

—Vayamos a la casa de Ed a buscar nuestras cosas y después los seguiremos.

Se dirigieron a lo de Ed Eagle, entraron en la casa y comenzaron a preparar el equipaje.

Holly se desplomó en la cama.

—Estoy exhausta —dijo—. ¿No podríamos primero dormir una siesta?

Stone se tendió junto a ella.

—Yo también estoy agotado.

Seguían profundamente dormidos cuando Ed Eagle entró en el dormitorio y los despertó.

—¿Cómo fueron las cosas?

—Los dos nos quedamos dormidos —contestó Stone.

—Tienen el mal de las alturas —dijo Ed—. Todos se sienten muy mal durante las primeras 24 horas en Santa Fe. La ciudad está a más de 2000 metros sobre el nivel del mar, y mi casa está a cerca de 2500. Vengan a cenar.

—Tenemos que regresar —dijo Stone, mientras trataba de despejarse la cabeza.

—No permitiré que pilotees el avión en ese estado —dijo Ed—. De todos modos, no llegarían allá hasta el amanecer.

El celular de Stone comenzó a vibrar.

—Hola.

—Acaban de aterrizar —dijo Dino—. Yo mismo los seguiré.

42

Después de agradecer a Ed Eagle por su ayuda, partieron del aeropuerto de Santa Fe a primera hora de la mañana siguiente, sintiéndose mejor pero todavía cansados. Siguieron la misma ruta de regreso, pero hicieron escala en Terre Haute, Indiana, para reabastecerse de combustible, y comenzaba a oscurecer cuando finalmente aterrizaron en Teterboro. Un servicio de automóviles los llevó de vuelta a la ciudad y para la cena se reunieron con Dino en Elaine's.

—¿Hasta dónde los seguiste? —preguntó Stone después de pedir las bebidas.

—A un departamento a un par de cuadras de aquí, en la calle 88.

Holly gruñó.

—No… ¿Hemos viajado más de 3000 kilómetros y estamos nuevamente donde empezamos?

—Entonces, ¿por qué no van ahora mismo y lo arrestan? —preguntó Dino.

—Ya lo intentamos antes, y nos topamos allí con tres o cuatro agentes del FBI con las armas desenfundadas.

—Ah, sí, Lance me lo mencionó.

—Stone —dijo Holly—, ¿por qué no podemos hacer en Nueva York lo que hicimos en Santa Fe?

—¿Te refieres a hablar con un juez federal?

—Sí. Ya funcionó una vez, ¿no es así?

—Si quieres que te diga la verdad, me sorprendió muchísimo que tuviéramos éxito.

Dino dijo:

—¿Quieres decir que consiguieron que un juez federal les legalizara la orden de arresto?

—Así es —dijo Stone.

—Pues también a mí me sorprende muchísimo.

—Creo que lo que deberíamos hacer es obligar al FBI a fundamentar jurídicamente por qué no te entregan a Trini. Entonces habría una audiencia, en la que el Procurador General de los Estados Unidos en Nueva York y los de su plantel se opondrían a nuestra petición y probablemente ganarían. Creo que sería una pérdida de tu tiempo y del mío. Y, hablando de mi tiempo, tengo que volver a trabajar para mi subsistencia en lugar de recorrer el país a la caza de Trini Rodríguez.

—¿Lo que quieres es que vuelva a Orchid Beach con la cola entre las patas? —preguntó Holly.

—No fue mi intención sugerir una posición para tu trasero, pero opino que podrías tener mejor suerte con un juez federal en tu propia jurisdicción.

—Creo que me gusta más la sugerencia de Lance.

—¿Cuál, matar a Trini?

—Yo no oí nada por el estilo —dijo Dino.

—Me encantaría matarlo, realmente me encantaría —dijo Holly con el rostro iluminado.

—Tal vez la otra sugerencia de Lance sería más eficaz, sin que tuvieran que meterte en la cárcel.

—¿Ir a *The New York Times*?

—Correcto.

—Dijiste que podía causarnos problemas a mí y a mi departamento.

—Y tú dijiste que de todos modos estabas cansada de todo el asunto. ¿Quieres terminar esto en un estallido de gloria?

—¿O caer envuelta en llamas?

—Es la misma cosa.

Dino volvió a intervenir.

—Me gustaría recordarles a ambos que la última vez que fastidiaron a Trini se produjeron varios intentos muy graves de terminar con la vida de los dos. ¡Vaya si se aplicaría eso de caer envueltos en llamas!

—Sí, también hay que tomar eso en cuenta —dijo Stone—. La próxima vez podrían tener más suerte.

—La idea de ir al *Times* me está resultando ahora bastante buena.

—Piénsalo —dijo Stone—. Supongamos que convences a los del *Times* y ellos publican una nota bien jugosa. Entonces tendrías a una verdadera horda de periodistas apostados en tu puerta —o, mejor dicho, en la de mi casa— clamando por que les des una entrevista. También los de la televisión te perseguirán, lo mismo que los reporteros de cada publicación sensacionalista de las que se venden en los supermercados. ¿Te parece que eso ayudará?

—No lo sé —respondió Holly—. Estoy tan cansada... Es como si todavía estuviera en Santa Fe, padeciendo el mal de las alturas.

—A mí me sucede lo mismo —confesó Stone—. ¿Por qué no dejamos esto para mañana?

—Igual que Scarlett O'Hara —dijo Holly y apuró el contenido de su copa—. Salgamos de aquí.

Stone y Holly estaban profundamente dormidos cuando se oyó un ruido fuerte en el dormitorio. Stone se incorporó.

—¿Qué fue eso?

Una luz muy intensa lo cegó.

—Fue el ruido de tu cuerpo golpeando contra el piso —dijo una voz de hombre.

—¿Qué sucede? —preguntó Holly, se sentó en la cama y se cubrió el pecho con la sábana.

—Aquí finaliza tu pequeña cacería —dijo la voz.

—Es Trini —le dijo Holly a Stone.

—Fantástico.

Se oyó el sonido de la corredera de una pistola semiautomática.

—¿Me permite que le señale algo? —preguntó Stone.

—Que sea rápido. Quiero matarlos y después ir a acostarme.

—Desde que está en el Programa de Protección de Testigos usted no ha cometido ningún crimen... al menos no uno por el que pudieran condenarlo a muerte.

—Tampoco podrán hacerlo por esto —dijo la voz.

—Sí que podrán. El Departamento de Policía de la Ciudad de Nueva York conoce su existencia y sabe dónde vive usted. Si nos mata, la protección que le brinda el FBI se evaporará como el rocío de la mañana. Se convertirá en fugitivo no sólo de las autoridades de Florida sino también del FBI. Su fotografía se difundirá por televisión, en los programas más vistos, y se ofrecerá una atractiva recompensa por su persona. Nunca volverá a tener paz en el resto de su vida.

Se hizo un silencio prolongado, después de lo cual la voz volvió a hablar.

—Ésta es la última advertencia. La próxima vez morirán los dos, y saben que soy capaz de hacerlo. —De pronto, la luz se apagó y se oyeron pisadas que bajaban por la escalera.

—Ésta es mi oportunidad —dijo Holly—. Si logro matarlo antes de que salga de la casa, será una buena cacería.

Stone la aferró por la muñeca.

—Aguarda un momento. No sabes si no trajo a alguien con él. Podrían estar vigilando la escalera hasta que Trini salga de la casa, y no vas a poder ver en la oscuridad por algunos minutos después de haber tenido esa luz en los ojos. Déjalo.

Holly se sentó en la cama.

—Eres bastante buen abogado —dijo—. Lo convenciste de que no nos matara.

—La próxima vez tendrá una coartada y nos matará.

—La próxima vez acuérdate de activar la alarma contra ladrones, ¿sí?

—Sí, claro. Lo olvidé por completo.

—Te perdono, puesto que todavía estoy con vida, pero si vuelves a olvidarte, *nunca* te lo perdonaré.

Stone se levantó y se acercó a su caja fuerte.

—¿Qué haces?

—Estoy sacando la Walther de la caja fuerte. Cabe la posibilidad de que él cambie de idea.

—¿Podrías, entonces, activar ahora la alarma?

Y él lo hizo.

43

Stone estaba preparando huevos revueltos cuando Holly bajó, envuelta en una bata.

—Buen día —dijo él.

—No tiene nada de bueno. Ese hijo de puta nos habría matado anoche si tú no lo hubieras convencido de que no lo hiciera.

—Está bien, está bien. Activaré la alarma todas las noches.

Holly tomó el teléfono y marcó un número.

—¿A quién llamas?

—A cierto teléfono celular —ella aguardó un momento mientras daba golpecitos con el pie—. ¿Grant? Escúchame. Tu testigo estrella salió anoche de su jaula, entró en mi dormitorio empuñando un arma y amenazó con matarme. Pienso hacer una denuncia formal sobre esto en el Departamento de Policía de Nueva York... ¿Qué? —Holly tapó el micrófono y le dijo a Stone—: Enciende el televisor.

Stone lo hizo.

—¿Qué estamos buscando?

—Sintoniza CNN.

Él la obedeció. Un periodista se encontraba de pie frente al edificio de departamentos de Trini en la calle 88 Este.

—De modo que un agente del FBI está muerto y otro, herido, al parecer por un hombre que ha sido además comprometido como testigo material. Todavía no tenemos su fotografía, pero su nombre es Trini Rodríguez, también conocido como Robert Marshall. Tiene algo más de 30 años, cerca de un metro noventa de estatura, unos 80 kilos y extracción latina e italiana. Esperamos tener su fotografía a más tardar, esta misma mañana.

—¿De modo que —dijo Holly por teléfono— mataron a uno de tus hombres e hirieron a otro?... ¡Por supuesto que lo hiciste! Tú eres el responsable —apartó el auricular—. ¡Me cortó!

—¿Así que Trini está en las calles? —preguntó Stone.

—Desde temprano por la mañana —respondió Holly—. Grant no me dijo más de lo que supimos por la CNN.

—Tú y yo iremos a todas partes armados —dijo Stone.

—Tienes razón. ¿Dónde empezamos a buscarlo?

—Déjame llamar a Dino —Stone marcó el número de Dino en su celular—. Me he enterado de que nuestro muchacho se soltó de la correa —dijo.

—Y de qué manera —respondió Dino—. En esto, nosotros pasamos a segundo plano con respecto al FBI, ya que matar a uno de sus agentes constituye un crimen federal.

—¿De modo que ustedes no lo están buscando activamente?

—Claro que sí. Enviamos una fotografía suya a todas las dependencias y un boletín dirigido al público en general.

—¿Tienes alguna pista con respecto a su paradero?

—Si la tuviera, en este momento él estaría en una celda.

—¿Me mantendrás al tanto de cómo se desarrollan los acontecimientos?

—Desde luego. Es mi única tarea, ¿no es así?

—Gracias, Dino —dijo Stone y cortó la comunicación—. El Departamento sigue con el tema, pero el FBI ha tomado la delantera. Trini aparecerá.

—No lo entiendes —dijo Holly—. Yo quiero localizarlo. Quiero encontrarlo antes que ellos.

—¿Y cómo esperas conseguirlo?

—Llama de nuevo a tu amigo de la Mafia. Pregúntale qué sabe.

—Lo llamaré, pero él no sabrá nada. Podría hacer correr la voz y, si alguien lo está protegiendo, tal vez me llamaría.

—En ese caso sabríamos algo que ni el Departamento de Policía ni el FBI saben.

—Siempre y cuando tengamos suerte.

—Es hora de que la tengamos.

Stone no pudo disentir con eso.

—Vayamos a Little Italy —dijo ella.

—Después de desayunar y de ducharme.

Hambriento y sin ducharse, Stone condujo lentamente por las calles angostas de Little Italy. Frenó delante de un bar al paso.

—Entra y compra rosquillas y café para los dos.

—Sigue conduciendo —contestó ella.

—Este auto no se mueve hasta que yo haya desayunado.

—Bueno, está bien —dijo ella, se bajó y dio un portazo. Poco después regresó con una bolsa de papel y dos cafés.

Stone comió y bebió con ganas.

—Es ahora cuando sucede —dijo y miró hacia la calle.

—¿Cuando sucede qué?

—Cuando lo vemos. Justo cuando estoy desayunando. ¿Recuerdas la última vez? Nunca llegué a almorzar.

—Basta de quejas —dijo ella mientras bebía su café—. Ahora tenemos buenas posibilidades de apresarlo.

—Yo no creo que quieras arrestarlo.

—¿*Qué*?

—Sólo quieres continuar con esta cacería. Lo disfrutas.

—No es así.

—Sí lo es. Ya reconociste que tu trabajo te aburre. Sólo quieres salir de ese pueblito en Florida y ver algo del mundo, y Trini Rodríguez es tu pasaje para ese viaje.

—Eso es ridículo —dijo ella, pero con menos entusiasmo.

—Si llegamos a apresar a ese tipo, será algo deprimente para ti, suponiendo que sobrevivas a la experiencia, lo cual, tomando en cuenta lo que sucedió anoche, es posible que no suceda.

—No te preocupes, sí que sobreviviré. Las probabilidades de Trini no son tan buenas.

—Permíteme que te diga qué es lo que esperas.

—¿Qué?

—Esperas que el Departamento arreste a ese degenerado, porque es posible que ellos respeten tu orden de arresto como una manera de ganarle al FBI, algo que a ellos les fascina. También confías en que Trini no mate a un policía en el proceso, porque si eso llegara a suceder, ellos nunca te lo darían a ti ni a los federales.

—Lo que yo espero es encontrármelo en la calle para poder derribarlo de un único disparo.

—Holly, esto no es el O.K.Corral y tú no eres Wyatt Earp. Esto es la ciudad de Nueva York; millones de personas viven aquí y la mayor parte están todos los días en la calle.

—¿Acaso crees que no lo sé?

Stone suspiró.

—Ruego a Dios que sí.

—¿Llamaste a tu amigo Eduardo?

—¿Y cuándo tuve oportunidad de hacerlo? —Stone metió su vaso vacío dentro de la bolsa de papel y se la entregó a Holly—. De acuerdo, lo haré ahora. —Sacó su teléfono celular y marcó el número. Pete contestó y lo conectó.

—Buenos días, Stone —dijo Eduardo—. ¿Tuviste suerte en localizar a ese tal Trini?

—No, Eduardo, y esta mañana él mató a un agente del FBI que lo custodiaba e hirió a otro.

—Alguien tiene que detener a ese hombre —dijo Eduardo.

—Ahora es un fugitivo, y le agradecería a usted toda la ayuda que pueda darme para ubicarlo.

—Haré algunos llamados —dijo Eduardo—. ¿Estás en tu casa?

—No. Le hablo desde mi celular —Stone le dio el número y Eduardo cortó.

—¿Contenta? —le preguntó a Holly.

—Loca de alegría —contestó ella, de mal humor.

Un hombre de impermeable se acercó por el lado del conductor del automóvil de Stone.

—Excúseme —dijo.

Stone giró la cabeza y, al mirarlo, se topó con los dos cañones de una escopeta de caño recortado.

—Yo también tengo una aquí —dijo Holly.

—¿Qué puedo hacer por usted? —preguntó Stone mientras apoyaba las manos sobre el volante.

—Puede hacer lo que se le dice —respondió el hombre.

—Lo escucho. Sus deseos serán órdenes para mí.

—Por lo visto, tiene una buena actitud —dijo el individuo—. Bájese del auto.

44

Los dos hombres de impermeable que portaban escopetas los hicieron cruzar la calle y caminar. Al avanzar, un par de portones de acero se abrieron delante de ellos y apareció un montacargas.

—Suban —ordenó uno de los hombres.

Lo hicieron y la plataforma descendió hacia la oscuridad que había debajo de la acera y las puertas se cerraron por encima de sus cabezas. Antes de que sus ojos pudieran acostumbrarse a las tinieblas, unas manos los palparon y les quitaron las armas. Entonces los empujaron a través de un sótano lleno de cajones de alimentos enlatados y botellas de aceite de oliva hacia un depósito ubicado al fondo, en cuyo interior los arrojaron brutalmente. Luego cerraron la puerta y corrieron el cerrojo.

—Muy bien, ¿qué hacemos ahora? —preguntó Holly.

Stone no podía verla; ni siquiera alcanzaba a ver su propia mano delante de la cara.

—¿Crees que tengo una solución para este problema?

—Eres una persona de recursos. Trata de pensar en algo.

—Ahora te toca a ti.

Ella suspiró con fuerza.

—¿Quieres quedarte aquí esperando que Trini llegue y nos mate?

—¿Crees que ése es el plan?

—Bueno, no me pareció que esos dos tipos fueran del FBI ni del Departamento, ¿verdad?

—Ahora que lo pienso, no creo que ninguno de esos grupos arme por lo general a sus hombres con escopetas de caño recortado.

—Vaya, qué observación tan astuta.

—Es lo que mejor hago en la oscuridad.

Se encendió una luz. Era el haz de una linterna diminuta y era Holly quien la sostenía.

—¿Siempre llevas una linterna encima?

—La tengo en el llavero —dijo ella y desplazó el haz de luz por todo el recinto. Las cuatro paredes eran de ladrillos y el piso era de cemento, con una rejilla grande de desagüe en el centro. A lo largo del cielo raso había una hilera de ganchos para colgar reses.

—Caramba, caramba —dijo Stone.

—¿Qué sucede?

—Nada.

—No me digas "nada". ¿*Qué es*?

—Apaga la linterna y guarda las pilas para cuando las necesitemos.

—¿Cuando las necesitemos para qué?

—Para ver.

—Ahora las necesitamos para ver.

—No hay nada que ver.

—Están esos ganchos. Y no me gusta nada el aspecto que tienen.

—A mí tampoco. Por eso dije "caramba, caramba".

—Ah.

—Sí.

—Tenemos que salir de aquí —dijo ella.

—Me encantaría oír tus ideas acerca de cómo hacerlo.

Se hizo un silencio prolongado.

—¿Y bien?

—Lo estoy pensando —contestó ella.

Stone apoyó una mano contra la puerta y empujó.

—Es de roble sólido —dijo—. Y está firmemente cerrada con cerrojos.

—¿Y si los dos empujamos juntos con los hombros?

—Terminaríamos con unos buenos moretones.

—¿Qué sugieres, entonces?

—Podemos esperar que alguien descorra los cerrojos y *entonces* empujar con los hombros. Tal vez los sorprenderíamos.

—Olvídenlo —gritó alguien desde el otro lado de la puerta.

Holly tanteó, tomó a Stone de un brazo y apretó los labios contra su oreja.

—Creo que oyen lo que decimos.

—Yo también lo creo —le susurró Stone.

—Quizá lo mejor sería callarnos la boca.

—Buena idea.

—Pero no dejes de pensar.

—Sigo pensando.

Largo silencio.

—¿Ya se te ocurrió algo? —susurró ella.

—Todavía no.

Otro fuerte suspiro. Holly encendió la linterna e iluminó algunas cajas que estaban contra la pared.

—Podríamos sentarnos allí —propuso.

Se sentaron.

—Hasta hay lugar para acostarse —dijo Holly.

—¿Tienes sueño?

—No. Estoy excitada.

—¿En un momento como éste? —susurró él.

—Bueno, todo parece indicar que no viviremos demasiado. Podría ser nuestra última oportunidad.

—Yo no creo estar a la altura de las circunstancias —dijo él.

Ella le puso una mano sobre el muslo y tanteó en busca de la bragueta.

—Apuesto a que sí.

—Holly.

—¿Qué?

—Ahora no.

—Si no es ahora, ¿cuándo? —le bajó el cierre y comenzó a acariciarlo.

—Bueno, no estabas tan equivocada —dijo él y tanteó para abrazarla.

45

Algo despertó a Stone y, cuando abrió los ojos, lo sorprendió ver encendida la luz del techo. Sacudió a Holly.

—¿Otra vez? —preguntó ella.

—No, no es eso. Mira —y señaló hacia la puerta. Sobre el piso, cerca de la puerta, había una botella de vino con el corcho destapado a medias y una bolsa de papel.

Stone se levantó y los tomó. Dentro de la bolsa había dos vasos de papel, una tajada gruesa de queso Parmesano y un pan italiano. Los dos se abalanzaron hacia la comida.

—¿Qué hora es? —preguntó Holly con la boca medio llena.

Stone consultó su reloj.

—Poco más de las ocho. Vaya, este queso es excelente.

—Y también hay pan —dijo ella—. ¿Las ocho de la noche o de la mañana?

—No lo sé. Supongo que de la noche. ¿Quieres más vino?

—Sí, por favor.

Él se lo sirvió y siguió comiendo.

—Se me acaba de ocurrir una cosa.

—¿Qué?

—¿Ésta será nuestra última cena?

—No digas pavadas.

Oyeron un ruido que provenía del otro lado de la puerta, sonidos metálicos contra el cemento. Esto continuó por algún tiempo y luego se transformó en el sonido de un pico y una pala sobre la tierra.

—Ese sonido no me gusta nada —dijo Stone.

—Tal vez se trata de una obra en construcción.

—No me parece.

—Te dije que no dijeras pavadas.

Stone se acercó a la puerta y escuchó. El sonido era claro e incluso más desalentador. Alcanzó a oír a dos hombres que se quejaban de la tarea que estaban cumpliendo.

—¿Por qué habrían de darnos de comer para después matarnos? —preguntó.

La respuesta vino del otro lado de la puerta.

—Porque soy un romántico.

—Usted nos ha estado escuchando mientras...

—¿Hacían el amor? Sí. ¿Cómo podía evitarlo?

—Bueno, gracias por la comida y el vino.

—De nada. Estaba rico el Chianti, ¿no?

—Sí, muy rico —respondió Stone, quien fue a sentarse junto a Holly.

—Creo que eso responde tu pregunta —le susurró.

—Quiero más vino —dijo ella.

Stone sirvió más para los dos.

—Estás tomándolo mucho mejor que yo —dijo Holly.

—No, no es así. Yo sólo... —Stone calló y escuchó—. Han dejado de cavar —dijo.

—Demonios. Dame más vino.

Antes de que él pudiera hacerlo, la puerta se abrió y entró un hombre con una escopeta.

—Bueno, vamos —dijo.

Stone reconoció esa voz: era la misma que había escuchado del otro lado de la puerta.

—¿No podríamos hablar un minuto de esto?

—No. El tiempo de ustedes ya se acabó —dijo y señaló la puerta con la escopeta.

Stone y Holly se levantaron y salieron del cuarto. Las luces estaban encendidas en el sótano. Los condujeron entre hileras de cajones de artículos envasados hacia el otro extremo del recinto, donde dos hombres sudorosos con palas se encontraban de pie junto a una fosa grande. Junto a la fosa había dos bolsas de cal.

El olor que flotaba en el sótano era de queso, fruta fresca y tierra recién removida. Esos eran los últimos aromas que ellos tendrían ocasión de oler.

—Me pregunto si me permitirá hacer un solo llamado telefónico antes de que haga lo que se propone —preguntó Stone.

—No —los empujó hasta que quedaran parados justo en un extremo de la fosa, y entonces él y otro de los hombres con una escopeta ocuparon sus posición a poca distancia de ellos.

—Usted tiene mi teléfono celular. El llamado que quiero hacer es a Eduardo Bianchi —dijo Stone.

Los hombres se quedaron mirándolo.

—Creo que lo más probable es que el número del señor Bianchi no figure en la guía telefónica.

—Lo único que tiene que hacer es oprimir dos veces la tecla *send* y la comunicación se establecerá. Él fue la última persona con la que hablé, de modo que el número sigue estando en el celular.

Nadie se movió.

—Realmente creo que será mejor para ustedes que yo hable con el señor Bianchi antes de que hagan esto.

El hombre finalmente habló.

—¿Usted conoce a Eduardo Bianchi?

—Lo conozco muy bien —respondió Stone—. Estuve a punto de ser su yerno.

—Dino Bacchetti es su yerno.

—Dolce y yo estuvimos comprometidos antes de que ella... bueno, enfermara.

El hombre lo miró durante un buen rato.

—Como comprenderá, sería muy desagradable para mí si llamo al señor Bianchi y él ni lo conoce ni quiere saber nada de usted.

—Le aseguro que eso no sucederá.

—Si sucediera, lo torturaré antes de matarlo. Y también a la señora. ¿Me ha entendido?

—Lo entiendo perfectamente.

El hombre extendió una mano hacia uno de sus colegas.

—Dame su teléfono.

El hombre le entregó el celular de Stone.

—Sólo presione dos veces la tecla *send* —le recordó Stone.

—Sí, sí, ya entendí —el hombre lo hizo y aguardó—. No contesta nadie —dijo.

—Estaba allí más temprano, antes de que usted... nos invitara a venir aquí.

—Hola —dijo el hombre y comenzó a hablar en italiano.

Stone entendió las palabras "Don Eduardo".

El individuo calló un momento, después aparentemente habló con Eduardo y luego le preguntó a Stone:

—¿Cómo es su nombre?

—¿Estaba a punto de matarme y no sabe quién soy?

—Sé quién es la dama; con eso me bastaba.

—Me llamo Stone Barrington.

El hombre repitió su nombre por el teléfono.

—Sí. Sí. Sí. *Grazie*, don Eduardo —cortó la comunicación y le entregó el celular a Stone—. Don Eduardo lo conoce —dijo.

Stone respiró aliviado.

—Dice que lo mate de todos modos.

A Stone se le cortó la respiración.

—Fue una broma —dijo el hombre y estalló en carcajadas. Todos los hombres lo imitaron.

—Es posible que yo muera de todos modos —le dijo Holly a Stone.

—Sé cómo te sientes.

Cuando el hombre logró controlar la risa, le tendió una mano a Stone.

—Mi nombre es Vito.

Stone le estrechó la mano.

—Don Eduardo dijo que lo llevara de vuelta a su automóvil.

—Bien.

—Pero tengo que matar a la señora.

—Aguarde un minuto —dijo Stone.

—Sí —dijo Holly—, ¡espere un momento!

Vito volvió a estallar en carcajadas, seguido por sus compañeros.

—Vengan —dijo, por último y les hizo señas de que se dirigieran al montacargas—. De nuevo era una broma. —Sus hombros se sacudían y tenía las mejillas surcadas por lágrimas.

—¿Así que estuvimos cavando para nada? —le preguntó a Vito uno de los hombres que tenía una pala en la mano.

—No te preocupes por eso. Ya usaremos esa fosa —fue la respuesta de Vito.

Subió por el montacargas con Stone y Holly y les entregó sus armas.

—¿Desde aquí se arreglarán solos para encontrar su auto? —preguntó Vito.

—Sí —respondió Stone—. Una cosa más. Queremos a Trini Rodríguez.

Vito puso los ojos en blanco.

—*Todos* quieren a Trini —dijo.

—Don Eduardo querría que nosotros lo encontráramos.

Vito lo miró con recelo.

—En serio.

—Trini está en alguna parte con los del turbante.

—¿Los del turbante?

—Sí, los árabes.

—¿Y dónde están los árabes?

—En alguna parte.

—Creí que todos los árabes habían sido arrestados cuando Trini hizo un pacto con el FBI.

—¿Qué saben, esos del FBI? —dijo Vito, riendo.

—¿Hablará con Trini? —preguntó Stone.

—Sí, supongo que sí. Él querrá saber cómo murieron ustedes —dijo Vito y nuevamente se echó a reír.

—Hágame un favor, Vito. Dígale lo que él quiere oír.

—Sí, está bien. Lo haré feliz.

Stone le entregó una tarjeta suya.

—Después averigüe dónde está y llámeme.

Vito tomó la tarjeta.

—¿Piensa matar a Trini?

—No. La señora lo arrestará y se lo llevará de vuelta a Florida para que allí lo juzguen por haber matado a una docena de personas en un funeral.

—¿Trini hizo eso? —Vito parecía sorprendido.

—Así es.

Vito dijo algo para sí en italiano.

—Entonces será un placer sacarlo de su escondrijo —dijo—. *Buona sera.*

Stone y Holly caminaron por esa calle oscura hacia donde habían dejado el automóvil.

—Ya que estamos aquí, ¿no quieres que comamos algo? —preguntó Stone.

—Gracias —contestó Holly—. Yo ya comí. Lo único que quiero es meterme en la cama, ponerme en posición fetal y succionarme el pulgar durante un par de días.

46

Cuando llegaron de vuelta a casa, Holly hizo exactamente lo que anunció que haría, salvo que no se succionó el pulgar.

Stone estaba cansado, pero curiosamente alerta. Llamó a Dino.

—Bacchetti.

—Soy Stone, pero casi dejé de serlo.

—¿Qué?

—Algunos de los compañeros de Trini, del lado italiano de la ecuación, me metieron el caño de una escopeta en la oreja en Little Italy y nos condujeron a Holly y a mí a un sótano cercano, donde procedieron a cavar una fosa para nosotros dos.

—¿Me estás hablando desde la tumba? Porque si es así, quiero grabar esta conversación.

—Por fortuna, no. Pude persuadir al jefe de esta alegre banda de hombres, un individuo llamado Vito, de que llamara a Eduardo antes de descargar su escopeta hacia nosotros.

—¿Y Eduardo canceló la operación?

—Sí. Por suerte estaba en casa.

—¿Quieres arrestar a alguien?

—No. Después de todo, lo único que hicieron fue darnos un susto terrible y, además, tal vez Vito nos ayudará a localizar a Trini.

—Creí que estabas dispuesto a renunciar a Trini.

—Extrañamente, mi experiencia cercana a la muerte ha renovado mi interés en encontrar a ese hijo de mala madre. De hecho, creo que quiero presenciar su ejecución, si es que no me ocupo yo mismo de matarlo.

—Es curioso, cuando esos dos tipos en motocicleta te atacaron, te sentiste muy mal por haberlos matado.

—Te aseguro que tener los dos cañones de una escopeta apoyados en la cabeza produce una concentración mental increíble.

—Supongo que sí.

—¿Cuáles son las últimas novedades acerca de Trini? ¿Por qué les disparó a los dos hombres del FBI?

—Bueno, según los rumores que corren, los dos agentes trataron de sacarlo de la cama demasiado temprano por la mañana, y eso lo irritó tanto que les disparó a ambos.

—¿Hablas en serio?

—Absolutamente. Según el agente que todavía vive, Trini enloqueció.

—Puesto que estuvo parado junto al pie de mi cama en mitad de la noche, amenazando matarme, supongo que no durmió lo suficiente. Algunas personas se ponen gruñonas si no duermen sus ocho horas.

—Dime, ¿cuáles son tus planes ahora?

—Vito dice que hablará con Trini, quien querrá saber detalles de cómo le imploramos que no nos matara.

—¿Ustedes hicieron eso?

—No. Yo me concentré en conseguir que Vito llamara a Eduardo antes de diseminar nuestros cuerpos por el sótano. Pero Vito le dará a Trini los detalles que Trini espera oír y después me llamará y me dirá dónde está él, si es que logra averiguarlo. Dice que Trini está con sus amigos árabes o "los del turbante", como él prefiere llamarlos.

—Pensé que el FBI había arrestado a todos los del turbante.

—Yo también lo creí, pero al parecer hay una buena provisión de ellos.

—Creo que me gustaría hablar con los del turbante —dijo Dino.

—Te diré qué haremos. Trabajaremos juntos en esto: tú tomarás a los del turbante y nosotros, a Trini.

—¿Qué harás con él?

—Llevarlo de vuelta a Florida para que lo enjuicien.

—Qué bonita idea. Espero que te salga bien.

—¿Nos vas a ayudar?

—Está bien. Consígueme la ubicación de Trini y de sus amigos y yo enviaré a un equipo SWAT. Haré que un juez legalice la orden de arresto de Holly y ustedes tres podrán irse al aeropuerto. Y me llevaré conmigo a los del turbante.

—Tenemos un trato. Pero que no incluye al FBI.

—¿Para qué querría yo que esos tipos se llevaran todo el mérito?

—Sí, realmente, ¿para qué?

—¿Cenamos juntos mañana?

—Hecho.

—¿Recuerdas que prometiste pagar tú?

—Sí, lo recuerdo.

Dino cortó y Stone llamó a Eduardo.

—¿Stone, estás bien?

—Sí, estoy bien, Eduardo. Quiero agradecerle su ayuda.

—Y yo quiero excusarme por la conducta de esos hombres nuestros.

—No hace falta ninguna disculpa. Nadie espera que esté al tanto de lo que hace cada uno.

—Me alegra que me llamaras.

—A mí también me alegra.

—¿Tuvieron suerte en localizar a ese tal Trini?

—En eso estamos. Uno de los hombres que nos llevó prisioneros dice que hablará con él y tratará de averiguar dónde está. Al parecer, hay algunos caballeros árabes involucrados.

—Sí, yo también tengo noticias de esos hombres, y me gustaría verlos arrestados y encarcelados.

—Si logramos localizarlos, eso muy bien podría suceder. Le agradecería cualquier información que tenga en ese sentido.

—Desde luego que te llamaré.

—Gracias de nuevo por salvarnos la vida, Eduardo.

—Por favor, fue un gusto para mí poder hacerlo.

Los dos cortaron y Stone se sintió muy cansado. Subió al dormitorio, se desvistió y se metió en la cama con Holly, quien ya dormía como si estuviera drogada. Muy pronto también él pareció estarlo.

Al día siguiente, Stone se levantó a media mañana y encontró a Holly todavía dormida. Extendió el brazo para acariciar un momento a Daisy, pero enseguida recordó que la perra estaba en Florida con Ham. Entonces se sentó en la cama, totalmente despierto.

Se puso una bata, bajó y llamó por teléfono a Ham.

—Hola.

—Ham, soy Stone Barrington.

—¿Cómo estás, Stone?

—Yo estoy bien, y también lo está Holly. Sigue dormida.

—¿Qué sucede?

—Tuvimos un encontronazo con Trini, y creo que tendrías que estar alerta con respecto a su gente por allá.

—¿Ah, sí?

—Sí. Creo que tendrías que ir pensando en cambiar de lugar. ¿Por qué no te mudas a la casa de Holly hasta que podamos arrestar a ese hombre?

—¿Realmente crees que podría ser una amenaza para nosotros aquí?

—Así lo creo.

—¿Qué opina Holly?

—No quiero despertarla para preguntárselo, pero me parece que coincidiría conmigo.

—Está bien. Pondremos algunas cosas en un bolso e iremos para allá.

—Gracias, Ham. Me sentiría mejor si lo hicieras. Por favor, dale mis saludos a Ginny.

—Lo haré. Adiós —dijo Ham y cortó la comunicación.

Stone volvió a subir al piso superior con la sensación de que, por el momento, había hecho todo lo que era posible hacer.

47

Ham entró en la cocina, donde Ginny estaba limpiando el pescado que había sacado del agua esa mañana temprano. Una de las razones por las que él la amaba era que solía limpiarle los pescados, algo que él detestaba hacer. Daisy estaba dormida en el piso, junto a ella.

—¿Qué te parecerían unas pequeñas vacaciones? —preguntó él.

—¿Yo tendría que limpiar los pescados?

—No.

—Entonces me encantaría. ¿Adónde quieres ir?

—¿Por qué no nos subimos a ese avión que tienes y nos llevas a las Bahamas?

—¿A qué lugar de las Bahamas?

—Tú los conoces mejor que yo. ¿Dónde hay buen pique?

—Ah, ah —dijo ella y sacudió un dedo ensangrentado.

—Está bien, no tendrás que limpiar pescados. ¿Adónde podemos ir para que alguien más limpie los pescados?

—Conozco un pequeño *resort* en Cat Cay que tiene su propia pista de aterrizaje. Podrías pasarles tus pescados a los del restaurante y dejar que ellos se preocupen de limpiarlos.

—Me parece bien. ¿Por qué no metes esos pescados en el *freezer* y pones tu cepillo de dientes y tu bikini en un bolso y nos vamos enseguida de aquí?

—¿Ahora mismo?

—Sí, ahora mismo.

—No te creía tan espontáneo. ¿Quién te llamó por teléfono?

—Un tipo.

—Vamos, Ham, ¿cuál tipo?

—Era Stone.

—¿Y Stone sugirió que nos tomáramos unas vacaciones?

—Sí, más o menos.

Ginny comenzó a envolver los filetes para congelarlos.

—Quiero saber toda la historia, Ham.

—¿Cuál historia?

Ella puso los pescados en el *freezer*, se acercó a su marido y le rodeó la cintura con los brazos.

—¿Sabes una cosa? Has estado perfeccionando esa cara de póquer durante tanto tiempo que estás convencido de que puedes engañar a todo el mundo, pero no puedes engañarme a mí.

—¿Por qué no?

—Porque a través de tus ojos veo tu cerebro y enseguida descubro cuándo me engañas.

—En este caso no hubo mucho engaño. Después de todo, ¿es tan malo que te ofrezca un viaje a las Bahamas?

—Me parece haberte escuchado decir más de una vez que las Bahamas es un lugar aburrido, con todo ese sol y esa arena.

—No si allí puedo pescar.

—¿Y qué hago yo mientras tú pescas?

—No lo sé. ¿Qué sueles hacer mientras yo voy a pescar?

—Por supuesto, no lo sabes, ¿verdad?

—Bueno, yo no estoy aquí cuando estoy pescando, ¿no?

—Me desnudo y hago conjuros de brujería.

—Eso también puedes hacerlo en las Bahamas, ¿no es así?

—No. Asustaría a los nativos.

—También asustarías a los nativos aquí, si yo hubiera sabido lo que estabas haciendo. Aunque te confieso que me gusta la parte en que te desnudas.

—¿Ah, sí?

—Ya lo creo. ¿Vas a preparar el equipaje?

—No hasta que me digas por qué nos vamos.

—A Stone le pareció que sería una buena idea.

—¿Y por qué pensó eso?

—Tuvo un pequeño encontronazo con Trini Rodríguez.

—¿Él dijo que había sido "un pequeño encontronazo"?

—Sí, más o menos.

—¿Y qué crees que quiso decir?

—Bueno, por lo general tener un pequeño encontronazo con Trini involucra una experiencia de muerte, pero Stone todavía podía hablar, así que supongo que él y Holly están sanos y salvos.

—¿De modo que él piensa que nosotros vamos a tener una experiencia de muerte?

—Creo que lo que quiere es que la evitemos.

—¿Yéndonos a las Bahamas?

—No. Él sólo quería que nos mudáramos a la casa de Holly por un tiempo. Lo de las Bahamas fue idea mía.

—¿O sea que tú estás más preocupado que él?

—No. Se me ocurrió que las Bahamas sería un cambio agradable hasta que alguien le dispare a Trini en la cabeza.

—Muy bien, me convenciste. Iré a preparar las maletas —le dio un beso suave y se dirigió al dormitorio.

Por el rabillo del ojo Ham advirtió un movimiento afuera. Sólo había alcanzado a ver un hombro y un codo.

—No lo hagas en este momento —dijo.

—¿Qué?

Entró en la sala, abrió la caja fuerte de las armas y sacó una Itaca que tenía desde hacía años. Le dio a ella la escopeta y una caja de proyectiles.

—Lleva esto al armario de las escobas y cárgalo —dijo—. Llévate también a Daisy, hazla quedarse quieta y manténte agachada.

Ella lo miró, muy serena, durante un momento y luego tomó la escopeta y regresó a la cocina.

Ham sacó su Beretta 9 mm de la caja fuerte, le insertó un cargador y la amartilló. Se puso otros dos cargadores en el bolsillo y luego sacó la escopeta automática Browning que solía usar para cazar pájaros y la cargó, y se puso más proyectiles en el otro bolsillo. Se acercó a un armario de la sala donde guardaba su ropa para pescar y se metió adentro, dejando la puerta entreabierta para poder vigilar la puerta de calle. Descartó mentalmente el canto de las aves en los árboles de afuera, lo mismo que el ruido de los automóviles que cruzaban el puente sobre el río Indian a 800 metros de allí, y escuchó con atención el resto de los sonidos.

Oyó el diminuto crujido de una tabla de madera procedente del porche de atrás; oyó el ruido de la suela de un zapato en el porche del frente. Oyó el chirrido de una bisagra de la puerta mosquitero que daba al porche de atrás. Sabía que ellos también escuchaban atentamente y que ya no oían voces.

Pensó en decir algo, pero la puerta del armario donde estaba escondido era muy delgada y no serviría de escudo de un proyectil. Sostuvo la escopeta en la mano izquierda, listo para levantar el cañón, y la vieja automática en la derecha.

Entonces volvió a ver el hombro y el codo que había detectado por la ventana, sólo que ahora estaban unidos a una cabeza y un cuello. El hombre era bajo y fornido, y tenía una Uzi en las manos.

"¿Por qué será que estos patanes piensan que necesitarán una ametralladora?", se preguntó.

El hombre se detuvo justo en el interior de la puerta del frente y, después de mirar hacia el fondo de la casa, se llevó un dedo a los labios y le hizo señas a su compañero de que se acercara.

"Eso es", se dijo Ham. "Acérquense más el uno al otro."

Ahora el primer hombre movía la mano para indicarle a su amigo que avanzara hacia la cocina. Ya no tenía sentido esperar.

Ham abrió la puerta del armario de una patada.

—Quietos —dijo, pero sabía que ellos no lo obedecerían. El cañón corto de la Uzi se movía en todas direcciones y Ham enseguida disparó la escopeta mientras apuntaba la Beretta 9 mm hacia el otro hombre.

El primer hombre y la Uzi se separaron y el individuo voló hacia atrás y aterrizó sobre la mesa de café de caoba, haciéndola pedazos. El segundo hombre soltó su arma y levantó las manos.

—Buenas tardes —dijo Ham en voz baja—. ¿Cuántos más hay?

—Ninguno más —respondió el hombre—. Déjeme ir y nunca más volverá a verme la cara.

—Ésa es una posibilidad —dijo Ham—, pero no hasta obtener algunas respuestas. Acuéstate en el piso. —Todavía no le dijo a Ginny que saliera de su escondite porque no estaba seguro de que no hubiera más atacantes.

48

Stone se encontraba sentado frente a su escritorio, ocupándose de una pila de trabajo que había dictado varios días antes, cuando sonó la campanilla del teléfono.

Joan lo llamó por el intercomunicador.

—Ham Barker está en la línea y quiere hablar contigo y con Holly.

—Comunícate con Holly en el dormitorio —dijo Stone. Vio cómo parpadeaban las luces del teléfono y luego volvían a ponerse rojas. Levantó el tubo—. ¿Ham?

—Sí, Stone. Holly también está en línea.

—¿Qué sucede?

—Bueno, anoche estábamos por preparar las maletas para unas pequeñas vacaciones cuando nos topamos con un par de visitantes.

—¿Ustedes dos están bien?

—Sí, estamos muy bien. Pero uno de nuestros visitantes está muerto y el otro está atado a una de las sillas de la cocina. ¿No te encanta la cinta autoadhesiva para embalaje?

—Ham —dijo Holly—, ¿fue un buen tiroteo?

—Bueno, el hecho de ver a una Uzi apuntándolo a uno con intenciones malévolas creo que es una buena razón para entrar a disparar. Por eso creo que fue un buen tiroteo.

—¿Llamaste al Departamento?

—Todavía no. Primero quería tener una pequeña charla con el que está vivo.

—No esperes demasiado —dijo Holly.

—No te preocupes, lo haré enseguida. Y llamé para que tú y Stone fueran los primeros en enterarse de los resultados de esa charla.

—Perfecto. ¿Y cuáles fueron los resultados?

—Bueno, al principio el tipo se mostró un poco reacio a hablar, hasta que lo hice quitarse los pantalones y luego lo até a la silla y le conté que Daisy estaba entrenada para comer genitales porque eran su plato favorito.

Holly estalló en carcajadas.

—Tengo que recordar esa triquiñuela.

—Después de eso y de que Daisy se instaló frente a él y le mostró los dientes, el tipo se puso muy charlatán.

—¿Y qué fue lo que dijo?

—El problema es que realmente no es mucho lo que sabe. Resulta que trabaja para algunas personas muy malas en Miami, y él y su ex compañero viajaron hasta aquí por pedido de tu señor Rodríguez. Eso no me sorprendió demasiado.

—No —dijo Holly—, imagino que no.

—Lo que sí me sorprendió fue lo que Trini quería que nos hicieran a Ginny, a Daisy y a mí cuando llegaran aquí.

—¿Te parece que quiero saberlo, Ham? —preguntó Holly.

—Probablemente no. Bastará con que sepas que quería que sufriéramos un poco antes de enviarnos al otro mundo.

—Cuéntales en detalle eso a mis policías —dijo ella.

—Lo haré. Ahora bien, pensé que podía resultarte interesante saber cómo ese individuo recibió las instrucciones de Trini.

—Sí, por supuesto —dijo Holly.

—Parece que Trini lo llamó a su teléfono celular.

—Maravilloso. Eso significa que en el celular debe de estar registrado todavía el número desde donde lo llamó.

—Es curioso que me lo menciones —dijo Ham—. Yo obtuve ese número, que es desde donde Trini hizo el llamado, y otros nueve números, cuatro de ellos de Nueva York. Parece que Trini se ha estado moviendo bastante en los últimos días.

—Yo tengo un lápiz para anotarlos —acotó Stone.

Ham leyó los números de la lista en orden inverso.

—Espero que conozcas a alguien que puede identificar esos números.

—Te aseguro que sí —dijo Stone.

—Stone, ¿sigues pensando que nosotros deberíamos alejarnos de aquí por un tiempo?

—Opino que sí. Trini puede querer repetir la experiencia.

—Está bien. Partiremos en cuanto terminemos de hacer los trámites con la policía. Holly, podrás comunicarte con nosotros a nuestros celulares.

—De acuerdo, Ham. Dile a Hurd Wallace, del Departamento, que me llame si llega a necesitar ayuda para enfrentar a tus visitantes.

—Lo haré, preciosa. Tú cuídate mucho, y que Stone también lo haga —dijo Ham y cortó la comunicación.

—Stone, ¿sigues en línea? —preguntó ella.

—Sí, aquí estoy.

—¿A quién vas a pedirle que identifique esos números?

—Creo que Dino es el más adecuado.

—¿No podrías hacerlo, qué se yo... de manera más privada?

—Holly, escúchame bien. Tú y yo no vamos a ir tras Trini por nuestra cuenta y tú tampoco lo harás sola, aunque yo tenga que atarte de pies y manos.

—El hecho de que me ates me resulta una perspectiva bastante interesante, pero ¿qué crees que podrá hacer Dino que nosotros dos no podríamos hacer también?

—Para empezar, él puede convocar un equipo SWAT, que tendría muchas más posibilidades de éxito que tú y yo al irrumpir en una habitación llena de terroristas árabes armados hasta los dientes, sin que alguien que no sea ellos termine muerto de un tiro.

—Qué mariquita que eres, Stone.

—Por eso sigo con vida —fue la respuesta de Stone—. Cuando era policía aprendí a no derribar puertas por mi cuenta cuando una docena de tipos de negro y con chalecos antibalas podía hacerlo por mí.

—De acuerdo, llama entonces a Dino.

—Es lo que pensaba hacer. Hasta luego —dijo Stone y marcó el número de Dino.

—Bacchetti.

—Soy Stone.

—Hola.

—Esta mañana dos de los matones de Trini trataron de matar al padre de Holly y su novia, allá en Florida.

—¿Todos están bien?

—Uno de los atacantes no lo está y el otro entregó un teléfono celular con diez números registrados en él, cuatro procedentes de Nueva York y, al menos el último, que corresponde a un llamado realizado por Trini en persona.

—Díctamelos.

Stone le leyó los números.

—En cinco minutos tendré las direcciones a que corresponden esos números, y haremos una redada de los cinco.

—Fantástico, pero Holly y yo queremos acompañarte en ese operativo, sobre todo en el caso del último, el número del que Trini llamó.

—Stone, sabes que no puedo hacer eso. Si uno de los dos terminara herido, el jefe de detectives caería sobre mí desde una gran altura.

—Mira, tanto Holly como yo somos miembros oficiales de un departamento de policía de Florida y tenemos una orden de arresto. Tú puedes dar fe de que nos asiste el derecho de participar de ese operativo. Y lo que te pedimos es que no nos dejen afuera. Creo que, después de las experiencias que ella ha tenido con este tipo, Holly tiene todo el derecho del mundo de hacerlo. Trini les dio instrucciones a esos asesinos de que torturaran a Ham, a Ginny y también a la perra antes de matarlos.

—Bueno, está bien, pero ustedes dos van a tener que ponerse chalecos antibalas, cascos y todo lo demás, y no dispararán ni un solo tiro. ¿Entendiste?

—Entendido. Se lo explicaré a Holly.

—De acuerdo, entonces. Te llamaré cuando tenga las direcciones y haya formado un equipo. Dame una hora.

Stone se dirigió al piso superior para explicarle a Holly de que no le iba a estar permitido extirparle personalmente el hígado a Trini. Al menos, no todavía.

49

Stone desarmó su Walther, la inspeccionó, limpió cada una de sus partes con un lienzo aceitado, la volvió a armar, puso un proyectil en la recámara, insertó un cargador completo, le puso seguro y la metió en su pistolera.

Holly lo había estado observando.

—¿Eres un buen tirador?

—Sí, bastante bueno. Pero Dino es mejor aún: donde pone el ojo, pone la bala.

—¿Ah, sí?

—Dos veces —dos por lo menos— me salvó la vida matando a alguien con un tiro bien difícil. La mayoría de los policías que conozco nunca han disparado sus armas, salvo en el polígono de tiro. ¿Y tú? ¿Eres una buena tiradora?

—Sí, excelente, pero no estoy a la altura de Ham. Él es el mejor que he visto jamás, quizás el mejor del mundo, y con cualquier arma. Es un don que tiene y, por supuesto, ha trabajado mucho para perfeccionarlo. Lo he visto hacer estallar un melón pequeño a mil metros de distancia con un rifle de francotirador, y siempre acierta a los blancos móviles con una pistola.

—Como tú dices, es un don, algo genético.

—Lamentablemente, yo sólo heredé la mitad de sus genes.

—Pues yo diría que algunos de los mejores que él tiene.

Ella sonrió.

—Gracias. ¿Te parece que estamos cerca del final de todo esto?

—Por Dios, espero que sí. No sé cuánto tiempo más lo toleraré.

—Yo podría hacerlo toda la vida.

—Ya lo sé. Un desenfreno temerario y una voluntad de hierro son una combinación poderosa. Me alegra que yo no sea tu presa.

—¿Qué te hace pensar que no lo eres?

—Vaya, vaya.

Ella se echó a reír.

—No te preocupes. No amenazaré tu preciosa soltería.

—¿Qué te hace pensar que es tan preciosa?

—Bueno, fuiste tú el que se creó esta existencia perfecta. Jamás permitirías que alguien la perturbara, ¿no es así?

—Tú también te creaste una existencia bastante perfecta.

—Sí, pero desde la muerte de Jackson nada ha sido igual. Y ya te dije que el trabajo me aburre.

—¿Qué piensas hacer al respecto?

—Lance me ha ofrecido algo.

—¿Qué? ¿Cuándo?

—En Elaine's, la última vez, mientras tú estabas en el baño y Dino hablaba por teléfono.

—¿Exactamente qué te ofreció?

—Se mostró algo vago y misterioso. Dijo que yo tendría que encargarme de una suerte de entrenamiento en un lugar llamado La Granja, en Virginia. Probablemente durante cuatro meses.

—Creí que esos tipos siempre reclutaban gente desde bien abajo.

—¿Quieres decir no a soldados y policías cuarentones y retirados?

—¿Tú eres cuarentona?

—Por supuesto. Tú también.

—Bueno, bueno.

—Podría ser divertido.

—El entrenamiento sería una lata.

—Me gusta esa clase de cosas. Hice bastante entrenamiento en el ejército, y después entrené a otros.

—Entonces probablemente eres perfecta para esa tarea. ¿Pero te resultaría divertido?

—Lance parece disfrutarlo.

—Por momentos pienso que lo disfruta demasiado.

—Sé lo que quieres decir. Igual, él está sirviendo a su país, así que ¿qué importa si lo disfruta demasiado?

—Espero no averiguarlo nunca. ¿De modo que quieres ir a trabajar en alguna embajada de algún país?

—No, el trabajo al que él se refiere es doméstico y, en su

mayor parte, urbano. Ahora la CIA tiene un nuevo papel en la seguridad local, y ese cambio ha hecho que les falte gente. La paga es apenas decente, pero yo tengo mi pensión militar y también mi pensión policial. Además de lo que Jackson me dejó.

—Pues parece que yo debería casarme contigo por tu dinero.

—Yo jamás me casaré.

—Suenas muy segura.

—Lo estoy. Sencillamente no es algo para mí. Eres un buen partido, pero también eres demasiado parecido a mí. Jackson era una persona totalmente diferente; era calmo y sabio y divertido. No era brillante, pero sabía cómo hacer lo correcto en cualquier situación.

—Ése es un don, en la misma medida en que lo es la habilidad de Ham como tirador.

—Tienes razón, y él lo cultivó cada día. Pero ya no está aquí y no hay nada que se pueda hacer al respecto.

—¿Alguna vez arrestaron a los que lo hicieron? ¿Ese grupo de culto o lo que fueran?

—No, pero Lance dice que yo tendría más posibilidades en la CIA. Yo nunca podría conseguir resultados en las fuerzas del orden. O tendría un departamento para dirigir, como ahora, o quedaría presa en la burocracia con algún supervisor respirándome en la nuca. Creo que no sería así con Lance.

—Tal vez no.

—Siempre me quedaría la posibilidad de irme si no me gusta.

—Supongo que sí.

Sonó la campanilla del teléfono y Stone contestó.

—Hola.

—Soy Dino. La dirección desde donde Trini llamó queda a menos de dos cuadras de tu casa.

—Dios mío —tomó un lápiz y la escribió—. Nos encontraremos allí.

—No, ven aquí. Me están por conseguir los planos del edificio y es preciso que planeemos esto bien.

—Estaremos allí dentro de quince minutos.

—Trae tus armas y la orden de arresto de Holly.

—Eso haremos —dijo Stone y cortó.

—¿Tienes la orden de arresto? —le preguntó a Holly.

—Ya lo creo que sí.

Camino al centro de la ciudad, en el taxi, Stone tomó la muñeca de Holly y le tomó el pulso.

—¿Qué haces?

—Tu pulso está cerca de 90 —dijo él—. Debes calmarte. Haz algunas inspiraciones profundas. Todavía faltan por lo menos un par de horas para que entremos.

—Yo quiero hacerlo ya.

—Ya lo sé, pero debes tener paciencia.

—No la tengo —respondió ella.

—Cumplirás mejor tu tarea si te serenas.

—Tal vez.

—Sin la menor duda.

Ella comenzó a respirar hondo y su ritmo cardíaco empezó a disminuir.

—Así está mejor —dijo él.

—No me parece —contestó ella.

50

El equipo se reunió en la sala de conferencias de la comisaría de Dino. Cerca de la puerta había una pila de pertrechos y varios hombres, y un par de mujeres caminaban y conversaban por allí.

—Muy bien, todos, ocupen sus lugares —dijo Dino, y sobre un atril colocó el plano ampliado de una planta. En una pared estaba sujeta una fotografía, también ampliada, de Trini Rodríguez.

Todos tomaron asiento o se apoyaron en las paredes.

—Esta vez tenemos suerte. El edificio está siendo renovado, de modo que se han registrado los planos de planta para lograr permiso para la nueva obra. Lo que tenemos es un edificio de cinco plantas, sin ascensor, como los que están a cada lado. Con una escalera de incendios en el fondo. También tenemos suerte de que en nuestro edificio se haya eliminado la escalera de incendio, con la promesa de verse reemplazada, de modo que la única manera de bajar es por la escalera principal.

"El número de teléfono al que le seguimos la pista pertenece al departamento del último piso, aunque se supone que nadie debe vivir en el edificio mientras no haya escalera de incendios, los vecinos aseguran que todavía hay gente viviendo allí. El propietario del edificio es una sociedad musulmana de beneficencia, y los inquilinos también parecen ser musulmanes, de modo que deberíamos tratar a cualquiera que encontremos en el interior como no cooperadores pero no hostiles, a menos que su comportamiento indique lo contrario.

"Si los ocupantes nos ven subir por la escalera, es posible que den la alarma, y eso haría que nuestra misión fuera más peligrosa, así que si alguien llega a vernos habrá que encerrarlo en su departamento y ordenarle que no diga nada. Los que traten de dar la alarma deben ser arrestados y amordazados hasta que terminemos con nuestro trabajo.

"Tenemos un equipo de doce hombres. Quiero que cuatro

estén apostados en el techo, al que pueden acceder desde el edificio que está al este, y que ocho suban por la escalera. Tenemos dos oficiales de una comisaría de Florida que tienen una orden de arresto contra Rodríguez, a quienes quiero tener conmigo.

"Según los vecinos de la acera de enfrente, son muchas las personas que viven en cada departamento, así que cabe esperar que haya por lo menos una media docena de personas en la unidad que nos ocupa. Es importante que sean arrestados inmediatamente, a menos que apunten sus armas contra nuestros hombres, en cuyo caso ustedes deben responder con la fuerza armada. ¿Alguna pregunta?

—Sí —dijo un jovencito musculoso sentado frente a la mesa—. ¿Tiene alguna idea de qué clase de armas portan?

—En mi opinión, armas de puño, pero debemos estar preparados para enfrentarnos a armas automáticas.

—Si existe la posibilidad de armas automáticas, entonces sugiero que arrojemos una granada de estruendo antes de entrar.

—Negativo —dijo Dino—. En el interior del departamento puede haber mujeres o incluso niños, y desde el incidente del año pasado, en el que la mujer murió de un infarto cuando utilizamos una bomba de estruendo, sólo nos está permitido usarlas en circunstancias desesperadas y cuando sabemos con total certeza quiénes están adentro.

—¿Hemos utilizado algún artefacto de escucha en el lugar?

—Tenemos un micrófono apuntado hacia una ventana de un piso superior desde un edificio de enfrente, pero las persianas están cerradas y lo único que hemos alcanzado a oír es una suerte de murmullo bajo, que tomamos como voces masculinas, y no mucho más que eso. Pensamos que deben de estar durmiendo.

El hombre asintió.

—¿Alguien más quiere hacer una pregunta?

El jefe del equipo SWAT se acercó al atril y señaló.

—Al entrar, traten de limitar los disparos hacia esta dirección, hacia el este, porque allí tenemos una pared doble de ladrillos. En lo posible, eviten disparar hacia las paredes que tienen ventanas. Aunque estamos utilizando munición que se fragmenta con facilidad, no quiero que ningún proyectil salga por una ventana abierta y vuele por el vecindario. ¿Está claro?

Nadie contestó.

—¿La orden de allanamiento ya está aquí? —le preguntó el jefe a Dino.

—Está en camino —respondió Dino—. No entraremos hasta que la tengamos en las manos. Es para todo el edificio.

—¿Tenemos órdenes de arresto para alguien más, además de para Rodríguez?

—No específicamente, pero cualquiera que esté en el departamento debe ser arrestado por dar alojamiento a un fugitivo.

—¿Las mujeres también?

—Sí. Estarán con nosotros un par de integrantes del Servicio Infantil para hacerse cargo de cualquier criatura que esté en el departamento, y uno de ellos sabe hablar árabe.

—También uno de mis hombres sabe hablar árabe y urdu —dijo el jefe y señaló a la persona en cuestión—. Él se encargará de hablar hasta que hayamos establecido quién habla inglés.

—Trini Rodríguez habla inglés —dijo Holly.

Todos giraron la cabeza para mirarla.

—Tal vez simule no entenderlo, y mi recomendación es que si está armado y tarda en obedecer las órdenes que se le dan en inglés, que alguien le dispare.

—Ésta es la jefa Barker del Departamento de Policía de Orchid Beach, Florida —explicó Dino—. Ha tenido bastante experiencia con Rodríguez. ¿Alguna otra recomendación, Holly?

—Trini es un asesino implacable —dijo ella—, y hará todo lo que esté a su alcance para evitar ser arrestado, incluso disparar a los agentes de policía. No vacilará ni un instante en hacerlo, y tampoco deberían hacerlo ustedes.

—De acuerdo —dijo Dino—. Tenemos cuatro detectives en la manzana observando la casa, dos en el interior del edificio de la acera de enfrente, en el mismo piso que el departamento de nuestro blanco. Estaremos en dos camionetas y nos detendremos en la avenida y lo verificaremos con ellos antes de iniciar el operativo. —Miró en todas direcciones.— Me parece que todos ustedes están listos. ¡Adelante!

Los hombres tomaron sus equipos y fueron saliendo del salón.

Dino se acercó a una pila que había junto a la puerta.

—Éste es nuestro equipo —dijo—. Preparémonos. La hora estimada de entrada en el edificio son las seis en punto de la tarde.

51

Hacía calor en la camioneta en la que Stone, Holly y Dino viajaban, y el pesado equipo que llevaban no hacía sino empeorar las cosas. Ya eran más de las seis de la tarde. Algunos integrantes del equipo SWAT intercambiaban bromas machistas, pero la mayoría permanecía en silencio. Stone se secó el sudor de la frente.

—Después de esto necesitaré una buena ducha.

—Yo también —dijo Holly.

—¡Eh, conductor! —gritó Dino—. Por favor, sube el aire acondicionado.

—Está en su nivel máximo, teniente —le gritó de vuelta el hombre.

Un minuto después la camioneta se detuvo y Dino tomó un radiotransmisor de mano.

—Ricardo, ¿estás ahí?

—Sí, teniente.

—¿Qué está sucediendo adentro?

—Algunas mujeres con vestimenta musulmana entraron en el edificio llevando artículos de almacén, pero no pude comprobar a qué piso se dirigían.

—¿Alguien salió?

—No, señor.

Dino miró al líder del equipo SWAT.

—Llegó el momento de entrar.

—Muy bien, todos —dijo el jefe—, crucen rápido y suban lentamente por las escaleras. Quiero que todos guarden completo silencio, salvo yo y el teniendo Bacchetti, que estamos usando auriculares con el radiotransmisor.

Alguien abrió la puerta, de las dos camionetas brotaron hombres hacia la calle y subieron los peldaños hasta la puerta de calle, mientras otros cuatro corrían hacia el edificio contiguo para obtener acceso a la terraza. Alguien logró abrir la cerradura de la puerta de calle y todos se agolparon adentro, seguidos por Stone y Holly en la retaguardia. Stone y Holly llevaban auriculares para sus radiotransmisores y podía oír cualquier conversación que tuviera lugar entre el jefe del equipo SWAT y Dino.

Los primeros del equipo avanzaron con lentitud por las escaleras, lo más sigilosamente posible, pero era inevitable que se produjeran algunos ruidos: el roce de los equipos contra el pasamanos, el resbalón ocasional de una bota. Ascendieron por las escaleras como una oruga gigante, serpenteando en los descansos y haciendo que su avance fuera inexorable.

Stone y Holly, justo detrás de Dino, estaban en el descanso del tercer piso cuando el jefe del equipo habló.

—Deténganse —susurró por el radiotransmisor—. ¿Dino?

—Aquí estoy —le contestó Dino en voz muy baja.

—En el cuarto piso hay dos puertas.

—¿De qué hablas?

—Podrían ser de dos departamentos.

—Eso no estaba en los planos.

—Ya lo sé.

—Entonces transpongamos las dos puertas.

—Sólo tenemos un ariete para derribar las puertas.

—¿Hasta qué punto parecen sólidas?

—Parecen pesadas, flamantes.

—Muy bien. Llama a una puerta y di que eres el plomero. En cuanto alguien la entreabra, derriben la otra y entren en los dos departamentos.

—De acuerdo. Aguarda un momento. Uno de mis hombres tendrá que sacarse el uniforme para no parecer sospechoso por la mirilla de la puerta.

—Entendido.

Esperaron lo más pacientemente que pudieron en el descanso de la escalera y después escucharon un golpe.

—Plomero —dijo una voz de hombre—. Tengo que cerrar la llave de paso del agua por algunos minutos. —Silencio.— Mire, amigo, el dueño del edificio me dijo que entrara en el departamento, así que permítame entrar.

Oyeron el ruido de una cadena, luego la puerta se abrió y finalmente estalló el caos. También oyeron que el ariete derribaba la otra puerta.

—¡Policía! ¡Al piso todos! —otras voces se sumaron al barullo. Sonaron disparos y luego el tiroteo cesó.

Dino subió corriendo las escaleras, seguido por Stone y Holly. Las dos puertas estaban abiertas, una salida de sus goznes, y el pasillo estaba vacío. Dino transpuso la segunda puerta.

Stone y Holly lo siguieron. La escena que se presentó ante sus ojos consistía en media docena de hombres, todos vestidos de blanco, tendidos en el piso con las manos atadas atrás con cinta plástica. Un hombre se encontraba acostado boca arriba en el suelo y su pecho era una masa de sangre y de perforaciones. No parecía estar respirando.

—¿Él está aquí? —preguntó Holly.

—Un minuto —dijo Dino—, todavía tenemos otra puerta.

Un integrante del equipo estaba lanzando el pesado ariete contra lo que parecía ser la puerta de un dormitorio. Esa herramienta de acero golpeó contra la puerta y dejó en ella una hendidura.

—Tenemos una puerta de acero —dijo—, y está blindada.

—Insiste —le gritó el jefe del equipo.

El hombre continuó lanzando golpes contra la puerta y después le entregó el ariete a uno de sus compañeros.

—Esto no está funcionando —dijo el jefe del equipo—. Traigan la sierra.

Un miembro del equipo que transportaba un bolso grande de nylon negro abrió el cierre y extrajo una sierra radial operada con baterías. Comenzó a trabajar sobre las paredes que rodeaban la puerta, cortó las vigas de madera y luego dio un paso atrás.

—Ahora dénle una vez más con el ariete —dijo el jefe del equipo.

Un hombre tomó el ariete y golpeó con él la puerta con todas sus fuerzas. La puerta se soltó y cayó hacia la habitación, creando una nube de polvo, y el equipo SWAT entró a la carrera en el departamento, entre gritos. Un momento después, esos gritos cesaron.

—¿Qué está pasando? —preguntó alguien.

Todos estaban parados alrededor de un boquete de unos 45 centímetros de diámetro practicado en la pared que daba al edificio contiguo. Los hombres se estaban quitando los equipos de protección para poder pasar al otro lado.

—¡Vuelvan a ponerse esos equipos! —gritó el jefe de los

SWAT—. ¡Nadie entra por allí sin protección! —Se llevó el radiotransmisor a los labios. —¡Equipo de la terraza, comiencen a bajar y revisen cada departamento en el camino!

—Un momento —dijo Dino—, nuestra orden de allanamiento no cubre al edificio de al lado.

—Quiero cuatro hombres apostados en la puerta de calle del edificio contiguo —dijo el jefe del equipo apuntando a sus hombres, y ellos salieron deprisa del departamento.

—Yo voy a pasar por ese boquete —dijo Holly y hacia él se dirigió.

—No creo que debas hacer eso, Holly —dijo Dino—. Lo que tú quieres es hacer un buen arresto. Dentro de un minuto tendremos el edificio sellado y entonces mandaremos pedir otra orden de allanamiento.

—Ésta es una persecución policial especial, Dino. Para eso no hace falta ninguna orden de allanamiento.

—Está bien —le dijo Dino al jefe del equipo—. Agranden ese boquete y que algunos hombres pasen por él. No podemos revisar los otros departamentos, pero sí el que está del otro lado del boquete y también los pasillos.

Los miembros del equipo SWAT pusieron manos a la obra con las herramientas que quedaban en el departamento y diez minutos más tarde lograron que los hombres pasaran por el agujero con sus chalecos antibalas puestos.

Stone y Holly los siguieron y emergieron en un departamento vacío en proceso de renovación.

—¿Quién estaba en la terraza? —preguntó Holly.

Dos hombres levantaron la mano.

—¿Vieron a alguien subir a la terraza desde este edificio?

Los dos se miraron, avergonzados.

—Estábamos de espaldas —dijo uno de ellos—, vigilando la salida del otro edificio.

—¿Este edificio tiene escalera de incendios? —preguntó Holly.

—Sí, señora.

Holly se dirigió al jefe de los SWAT.

—Entonces apurémonos. Debemos perseguirlo.

—Un momento, Holly —dijo Dino—. El tipo nos lleva una delantera de alrededor de quince minutos. Lo único que tenía que hacer era tomar un taxi. Por ahora, lo perdimos. Todavía tenemos un boletín policial de búsqueda diseminado por toda la ciudad y publicaremos su fotografía en los periódicos. Por el momento, es lo único que podemos hacer, y lo único que puedes hacer tú es esperar.

—¡Demonios, demonios y más demonios! —exclamó Holly.

—Yo opino lo mismo —dijo Dino.

—Volvamos a casa —dijo Stone.

52

Holly, Stone y Dino, desconsolados, bajaron rápidamente por las escaleras y salieron a la calle usando todavía su equipo de protección contra balas. En el momento en que llegaban a la calle, en la misma cuadra estacionó la camioneta de un canal de televisión y una reportera corrió hacia Dino.

—¡Teniente Bacchetti! —gritó—. ¡Concédanos un minuto!

Dino se frenó en seco.

—¿Qué puedo hacer por usted?

—¿Exactamente qué sucedió allí adentro?

—Llame al servicio de informaciones y ellos se lo dirán.

—Sí, claro —dijo la mujer.

—¿Por qué no habla con la jefa Holly Barker, del Departamento de Policía de Orchid Beach? —sugirió él, tomó a Holly del brazo y la arrastró hacia adelante.

—Jefa Barker —dijo la mujer—. ¿A quién arrestó usted aquí?

—Me temo que no arrestamos a nadie —contestó ella—. Vine a Nueva York con una orden de arresto para un fugitivo llamado Trini Rodríguez. Ingresamos en este edificio con la ayuda del Departamento de Policía de Nueva York, convencidos de que él se encontraba aquí, pero al parecer Trini tenía una ruta de escape bien planeada y lo perdimos.

—¿Ése no es el hombre buscado por matar a un agente del FBI y herir a otro?

—Sí, pero yo lo persigo por una docena de homicidios cometidos en el estado de Florida.

—Hace menos de una hora entrevistamos al agente especial Grant Harrison, de la oficina de Miami del FBI, y él ha instituido una recompensa de 100.000 dólares por Rodríguez. Si logran arrestarlo, ¿a quién le pertenecerá?

—Supongo que eso dependerá de quién lo arreste —respondió Holly.

—Si usted lo hace, ¿se lo entregará al FBI?

—Si yo lo arresto, me lo llevaré de vuelta a Florida y me ocuparé de que se lo juzgue.

—¿Y qué me dice del FBI?

—¿Qué pasa con ellos?

—¿No tienen precedencia?

—¿Quién lo dice?

—Lo dice el agente Harrison.

—No me sorprende. Excúseme —dijo ella y se dirigió a la camioneta en la que Stone la aguardaba y se quitó el chaleco antibalas—. Salgamos de aquí.

Cuando llegaron a la casa de Stone, él encendió el televisor y vio la entrevista de Holly en todos los canales de noticias.

—Lo hiciste muy bien —dijo Stone.

—Un momento —dijo Holly—. Aquí viene Grant.

—En una entrevista realizada hace cinco minutos, el agente especial Grant Harrison, de la oficina del FBI en Miami, se mostró en desacuerdo con la jefa Barker —decía el presentador del informativo.

—Aparentemente, la jefa Barker no entiende los procedimientos adecuados en este caso —decía Grant—. El FBI se llevará en custodia al señor Rodríguez cuando sea apresado, y se lo juzgará en un tribunal federal por el asesinato de un agente federal y el intento de homicidio de otro.

—Pero el Departamento acaba de transmitir un boletín de búsqueda con respecto a este hombre —dijo la reportera—. ¿Cree usted que renunciarán a él si lo capturan?

—Ya hemos visto un ejemplo de la manera en que funciona el departamento local —dijo Grant—. Hoy mismo hicieron un intento de arrestar al señor Rodríguez. Pero fracasaron, y ahora él vuelve a estar fugitivo. Deberían habernos dejado a nosotros esa tarea.

—Tenemos entendido que quienes le siguieron el rastro al señor Rodríguez hasta la dirección del East Side fueron la jefa Barker y el Departamento —dijo la reportera—. ¿Acaso el FBI conocía su paradero?

—Eso es todo lo que tengo para decir en este momento —dijo Grant—. Estamos ofreciendo una recompensa de 100.000 dólares por cualquier información que conduzca al arresto de Trini Rodríguez.

El presentador volvió a aparecer en la pantalla con una fotografía de Trini.

—Lo de la recompensa dará sus frutos —dijo Holly—. Alguien lo entregará para cobrar el dinero del FBI, y yo estaré donde estaba cuando vine a Nueva York.

—Ellos parecen haber pasado por alto el hecho de que el Departamento arrestó a media docena de sospechosos de terrorismo y mató a uno en la redada —dijo Stone—. Eso debe de haber enfurecido a Grant.

—Quiero dormir un rato —dijo Holly.

—Cenaremos con Dino —dijo Stone—. Yo te despertaré a tiempo.

Cuando llegaron a Elaine's encontraron a Dino ya sentado con Lance Cabot.

—Buenas noches —dijo Lance.

—Hola —logró decir Holly.

Stone y Lance se estrecharon las manos.

—Estaba felicitando a Dino por arrestar a cuatro hombres que están en lo alto de la lista de personas más buscadas —dijo Lance—, y otros dos que muy pronto lo habrían estado también.

—Sí, y nos sirvió de mucho con la prensa —dijo Dino.

—Dino —dijo Stone—, hoy tuviste oportunidad de hablarles a los de la televisión sobre el arresto. ¿Por qué no lo hiciste?

—Detesto hablar con esa gente —respondió Dino.

—Por esa razón no eres el jefe de detectives —dijo Stone.

—Yo no aceptaría ese puesto. Nunca tendría tiempo de ver siquiera a mi esposa y a mi hijo.

—En la actualidad tampoco los ves —señaló Stone.

—¿Qué quieres decir? Voy a cenar a casa casi todas las noches.

—Casi todas las noches estás aquí —replicó Stone.

—Eh, amigos —los interrumpió Holly—, por favor, ¿podemos tomar una copa en paz?

—No te preocupes —dijo Lance—. Arrestarás a Trini. Se le

están acabando los escondrijos y su foto está en todos los televisores.

—¿Tú puedes ayudarnos? —preguntó Holly.

—Tengo a varias personas con la oreja apoyada en el suelo.

Cada uno pidió lo que quería beber y al poco tiempo Herbie Fisher apareció junto a la mesa, como un diablillo brotado de una linterna mágica.

—Hola a todos —dijo Herbie con voz animada—. Hola Stone, Holly, Lance, Dino.

—Para ti soy el teniente Bacchetti —dijo Dino.

—¿Puedo beber una copa?

—No —dijo Stone—. Vete de aquí.

—Pero les traigo informaciones —dijo Herbie, ofendido.

—Mátalo de un disparo, Dino —dijo Stone.

—Quiero la recompensa —protestó Herbie.

—Entonces acude al FBI —dijo Dino—. Son ellos los que ofrecen una recompensa.

—¿Pero ustedes no quieren capturar a Trini Rodríguez?

—Herbie —dijo Dino—, si no te vas de una buena vez llamaré a un patrullero y haré que te arreste.

—¿Por qué delito?

—Por fastidiar a la policía.

—Entonces será mejor que le echen un vistazo a esto —dijo Herbie y arrojó sobre la mesa una fotografía de 12 por 18 centímetros.

Lance la levantó.

—¿Dónde conseguiste esto?

—Yo la procesé.

Holly miró la fotografía.

—Es Trini.

—¿Qué procedencia tiene esto? —preguntó Stone mientras miraba la foto.

—Esta tarde un tipo trajo dos rollos de película al negocio. Este negativo estaba en uno de ellos.

—¿Quién era el tipo?

—Tengo su nombre y dirección —dijo Herbie con expresión pícara, mientras se frotaba los dedos para indicar que quería el dinero.

—¿Todavía quieres que lo mate, Stone?

—No hasta que nos dé el nombre y la dirección —contestó Stone.

—¿Y? ¿Me darán la recompensa?

Stone le palmeó la espalda.

—Siéntate, Herbie y bebe una copa. Qué bueno verte.

53

Herbie bebió un sorbo del scotch de doce años de añejamiento que había pedido.

—Parece que me estoy volviendo cada vez más popular
—dijo en general, sin dedicárselo a nadie.

—Es una ilusión —dijo Stone—. ¿Quién te llevó las fotografías?

—Un tipo.

—¿Cuál tipo?

—Un italiano.

—¿Cómo sabes que era italiano?

—¿Acaso crees que no conozco a un italiano cuando lo
veo? —preguntó Herbie y bebió otro sorbo de scotch—. Además, tenía un apellido italiano.

Stone sacó su anotador y una lapicera.

—Deletréamelo —dijo.

—G... —empezó a decir Herbie y parpadeó—. Eh, ¿qué
hay de mi recompensa?

—Las cosas son así, Herbie: el FBI dijo por televisión que
ofrecían una recompensa por el arresto de Trini Rodríguez. No
dijeron que *ellos* eran los que tenían que arrestarlo.

—¿De modo que me darían la recompensa incluso si Dino
lo arresta?

—Bueno, ésa es la conclusión que yo saqué a partir del
anuncio que hicieron. ¿Tú tienes algún motivo para pensar lo
contrario?

Herbie se rascó la cabeza.

—No lo creo.

—Bueno, ahí lo tienes.

—¿Dónde?

—Ahí.

—¿Dónde es "ahí"?

Stone suspiró.

—Herbie, ¿sabes qué significa obstrucción a la justicia?

—Sí, más o menos.

—Pues bien, si no me das ese nombre, Dino te arrestará por obstrucción a la justicia.

—¿Por qué tengo que darte el nombre a ti? Tú no eres policía; Dino sí lo es.

—Entonces dáselo a Dino.

—Dino, si te doy el nombre, ¿prometes que recibiré la recompensa?

—Herbie, si me das el nombre y la dirección del individuo que te llevó la película para que la procesaras, te prometo que haré todo lo que esté a mi alcance para que obtengas esa recompensa. Hasta le escribiré una carta al FBI, precisando que tú eres la persona que se merece esa recompensa.

La cara de Herbie se iluminó.

—Está bien.

—Eso, *siempre y cuando* lo arrestemos gracias a tu información —dijo Dino—. Si Trini no está en la dirección de ese tipo, no habrá recompensa.

—Me parece justo —dijo Herbie.

—Así que dame el nombre.

—¿Y yo seré un héroe?

—Herbie, vas a ser un héroe *muerto* si no me das ese nombre ahora mismo —Dino metió una mano dentro de su chaqueta, como si buscara su arma.

—Muy bien, muy bien —dijo Herbie y levantó las manos—. El nombre es Galeano, G…

—Sé cómo se escribe —dijo Dino—. Ése es el apellido. ¿Y el nombre?

—Vito.

—Eh, un momento —dijo Dino—. Conozco a ese tipo. Dirige un negocio ilícito de juego con números y sólo Dios sabe qué más desde un almacén en Little Italy.

—Ésa fue la dirección que me dio —dijo Herbie, tomó la libreta y la lapicera de Stone y trabajosamente escribió la dirección.

—¿Qué hace Vito mandando a revelar películas en Brooklyn? —preguntó Dino.

—Él vive en el vecindario. No sé exactamente dónde. Viene todo el tiempo a mi negocio con las fotografías que toma su esposa.

—Stone y yo también conocemos al caballero —dijo Holly al mirar la fotografía—. Mira esto, Stone —dijo y señaló la cara—. Y creo que sabemos también cuál es su dirección, ¿no opinas lo mismo? —preguntó al entregarle la foto.

Stone la inspeccionó con atención.

—Ajá —dijo—. Creo que es la de nuestra tumba en el sótano.

—¿La tumba de ustedes? —preguntó Dino—. ¿De qué demonios hablas?

—¿No te lo conté? El señor Galeano y sus amigos cavaron una fosa especialmente para Holly y para mí en el sótano de su almacén.

Dino tomó la fotografía y la examinó minuciosamente.

—Entonces, ¿por qué están aquí y no en la fosa?

—Porque lo convencí de que llamara primero a tu suegro. Eduardo le sugirió que no lo hiciera.

—¿Cuándo cavaron esa fosa?

—Ayer —respondió Stone.

—De modo que sabemos que Trini estaba allí ayer.

—Correcto.

—¿Y cómo sabemos que Trini no está en ese escondrijo?

—Porque hoy estaba en el departamento.

—¿Llegaron realmente a verlo?

—No, pero un miembro del equipo SWAT lo identificó justo antes de que él les cerrara la puerta de escape en la cara.

—¿Cuándo recibo los 100.000 dólares? —preguntó Herbie.

—Herbie —dijo Dino—, ¿recuerdas las condiciones incluidas en la recompensa?

—Más o menos.

—Permíteme que te las recuerde. En primer lugar, debemos arrestar a Trini basándonos en la información que tú nos proporcionas. En segundo lugar, el FBI tiene que dar su visto bueno.

—Sí, pero tú les escribirás una carta.

—Herbie, por elocuente que yo sea en lo referente a redacción y escritura, no todo el mundo hace lo que le pido. En especial, el FBI.

Herbie frunció el entrecejo.

—No me gusta cómo suena eso.

—Caramba, lo lamento —dijo Dino.

—¿Puedes averiguar dónde vive Vito? —le preguntó Stone a Dino.

—Sí, claro, pero me parece más probable que Trini esté en el almacén que en la casa de Vito. Esos tipos nunca trasladan los negocios a su casa ni a su familia, en especial, negocios como los de Trini.

El teléfono celular de Stone comenzó a vibrar.

—Hola.

—¿Es usted Stone Barrington?

—Sí, ¿quién habla?

—Soy Vito. ¿Me recuerda?

—¡Vito! ¿Cómo olvidarlo?

Vito rió por lo bajo.

—Sí, me lo imagino, dadas las circunstancias.

—¿Tiene noticias de Rodríguez? —preguntó Stone.

—Creo que sí —respondió Vito—. ¿Acepta reunirse conmigo en mi negocio por la mañana?

—¿Tengo que esperar hasta la mañana?

—Bueno, no podré hacer nada por usted hasta el mediodía, y eso en el mejor de los casos, pero si le gustaría pasar la noche en mi sótano...

—No gracias, Vito, creo haber visto ya suficiente de su sótano.

—De acuerdo. Venga mañana, a eso de las once de la mañana, y veré lo que puedo hacer. ¿Recuerda la dirección?

—Sí, claro.

—Lo veré entonces —dijo Vito y cortó la comunicación.

—Herbie —dijo Stone—, me temo que se ha producido una pequeña complicación en el cobro de tu recompensa.

54

H erbie finalmente pareció entender la indirecta y se fue. Lance lo observó salir de Elaine's.

—¿Saben? Ése es uno de los seres humanos más estúpidos que he tenido la mala suerte de conocer.

—Tengo que coincidir contigo —dijo Stone—. Y es, también, uno de los más fastidiosos.

—¿Entonces por qué tienen tratos con él? —preguntó Dino.

—Yo no tengo tratos con él. Es él quien tiene tratos conmigo.

—Tú también, Lance —dijo Dino.

—Ya lo sé, ya lo sé. Estaba allí cuando lo necesité para una fotografía y ahora no consigo sacármelo de encima. Está convencido de que sería perfecto para las operaciones de la CIA.

—¿No tienes alguna misión suicida para enviarlo? —preguntó Stone.

—Herbie es la clase de hombre capaz de aceptar una misión suicida y salir de ella con una sonrisa en la cara mientras todos los demás están muertos y él, sin haber tenido nada que ver con esas muertes.

—¿Cómo demonios lo conociste? —preguntó Stone.

—Un operador que conozco me lo presentó; Herbie es su sobrino.

—¿Tú también conoces a Bob Cantor?

—¿Tú conoces a Bob Cantor? —respondió Lance.

—Trabaja para mí todo el tiempo.

—Bueno, por lo visto tiene más de un cliente.

—Con razón está ocupado cuando estos días lo llamo —dijo Stone.

—De acuerdo —dijo Dino—. ¿Qué pasó con el llamado que acabas de recibir?

—Era Vito.

—De eso me di cuenta.

—Dice que es posible que mañana le ponga las manos en-

cima a Trini. Quiere que nosotros vayamos a su almacén mañana por la mañana.

—Será mejor que tomes esto seriamente —dijo Dino—.
Vito Galeano es un tipo muy serio.

Holly dijo:

—Vaya si me pareció serio cuando se disponía a matarnos
de un disparo y enterrarnos en su sótano.

—Créeme, lo estaba —dijo Dino. Se dirigió a Stone—.
¿Cómo se te ocurrió pedirle que llamara a Eduardo?

—Si le pedía que llamara al alcalde, no habría servido de
mucho —respondió Stone—. Vamos, Dino, ¿a quién más conocía que pudiera estar relacionado?

—Podrías haberle pedido que me llamara a mí.

—¿Un tipo está a punto de matarnos y yo debería haberle pedido que llamara a un policía?

—Conozco a Vito desde que éramos chicos. Es un par de
años mayor que yo, pero íbamos a la misma escuela. Él me defendió una vez de una barra de muchachos más grandes que
yo, así que siempre sentí que estaba en deuda con él. En una
ocasión, cuando él se encontraba en una situación difícil, tuve
oportunidad de darle una mano, y él me lo agradeció mucho.
Aquí va un consejo: ahora que lo conoces, la próxima vez que
estés en problemas con algunos malechores, pídeles que lla-
men a Vito, en lugar de a Eduardo. Son muy pocos los que conocen a Eduardo, pero todos conocen a Vito y nadie quiere
enemistarse con él.

—Supongo que ése es un buen consejo —dijo Stone. Miró a Lance—. Supe que estás tratando de reclutar a Holly a tu
organización en un trabajo más que de tiempo completo.

—¡*Stone*! —saltó Holly.

—Está bien, Holly —dijo Lance—. Stone es como de la familia.

—¿Lo soy? —preguntó Stone.

—Firmaste, ¿no es así?

—Sí, supongo que lo hice. Holly, quizá Lance es la persona adecuada para ayudarte con tu pequeño problema de dinero.

Holly se puso colorada.

—Stone, cierra el pico.

—¿Qué sucede, Holly? ¿Necesitas fondos? —preguntó Lance con aire de preocupación.

—No, nada de eso —contestó Holly.

—Yo diría que todo lo contrario —acotó Stone.

—No entiendo —dijo Lance.

—Mejor así —dijo Holly.

—Oh, vamos, Holly —dijo Stone—, ¿quién mejor que Lance?

—Así es —dijo Lance, ¿quién mejor que yo? Si tienes un problema, me gustaría ayudarte.

Holly paseó la vista alrededor de la mesa.

—Creo que será mejor que yo me vaya un momento al baño —dijo Dino y se incorporó un poco en la silla.

—Siéntate, Dino. Está bien, contaré lo que me sucede. —Y Holly narró su historia. Todos la escucharon absortos excepto Stone, a quien parecía costarle mucho no echarse a reír.

Cuando ella terminó, Lance le palmeó la mano.

—No te preocupes, querida, ya pensaremos en algo.

—¿Pensarán en qué? —preguntó Stone.

—Sí, ¿en qué? —dijo Holly.

Lance miró en todas direcciones para asegurarse de que nadie más los oía.

—Tienes una suma grande de dinero obtenido de una operación ilegal; dinero acerca de cuya existencia no informaste. ¿Lo que quieres es deshacerte de él de una manera, digamos, lucrativa?

—Supongo que sí.

—Se lo llama lavado de dinero, y hay una serie de maneras para hacerlo.

—Apuesto a que sí —dijo Stone.

—Y cada una de esas maneras implica cierta dosis de riesgo —explicó Lance—. Tal vez lo más seguro para ti sería darme el caso para que yo me ocupe de él. Y cuando haya pasado cierto tiempo, tendrás una suma considerable depositada en la cuenta de un banco extranjero. Recibirás una tarjeta de crédito por correo y a partir de ese momento podrás cargar todo lo que desees en la tarjeta. Tendrás que mantener cierto control mental de lo que gastas, porque no querrás que el cartero te entregue un estado de cuenta mensual, ¿verdad?

—¿Eso es todo?

—Eso es todo.

—Parece tan sencillo.

—Bueno, tendrás que pagar un cargo por servicios, digamos el 10% del depósito original.

—¿A quién?

—Es mejor que no lo sepas. Pero igual te quedarán más de cinco millones en el banco, si alguna vez llegas a necesitarlo, y esa suma estaría invertida de la manera en que tú desees.

—¿Así que yo estaría ganando dinero?

—Me atrevería a decir que una renta de por lo menos el 8%.

—Qué bueno.

—Por supuesto, tendrás que pagar impuestos por lo que ganas, pero puedes invertir en bonos municipales exentos de impuestos. En la actualidad se puede comprar prácticamente todo con una tarjeta de crédito —un automóvil, por ejemplo—, pero te aconsejaría que no compraras nada que creara un registro legal, como una casa.

—Un auto también crea un registro legal —dijo Holly.

—Pero no un registro importante. No aparecería en tu informe de créditos, por ejemplo, si no lo financiaras.

—Ya lo ves —dijo Stone—. Problema solucionado.

—No exactamente —dijo ella—. Todavía tengo que hacérselo llegar a Lance.

—Mételo en tu coche y tráelo aquí —dijo Stone.

—O en tu avión.

—Olvídalo. Yo no me voy a involucrar. Tengo que proteger mi licencia legal.

—Hazlo mientras sigas teniendo una placa que mostrar —dijo Lance—, por si en la ruta te detiene un patrullero que quiere registrar tu automóvil.

—Lo pensaré —dijo Holly. Miró a Stone—. ¿Ahora podemos volver a casa?

—Por supuesto.

Dino dijo:

—Mañana yo quiero ir con ustedes a lo de Vito.

—¿Por qué? —preguntó Stone.

—Les irá mejor conmigo allí.

—Bueno, está bien.

—Yo no tengo inconveniente —dijo Holly.

—Y ni se les ocurra entrar en ese almacén hasta que yo se los diga.

55

A la mañana siguiente, Stone y Holly desayunaban cuando él dijo de pronto:

—Esto no me gusta nada.

—¿Qué es lo que no te gusta?

—Antes, cuando entramos en ese departamento con Dino, un equipo SWAT nos precedía y hubo un tiroteo. ¿Y ahora se supone que sencillamente tenemos que entrar en el almacén de Vito y salir con Trini? No me da. Y aunque me diera, igual no querría entrar allá de esa manera.

—¿Qué sugieres?

Stone llamó a Dino.

—Bacchetti.

—No me gusta, Dino.

—¿Quién habla?

—Stone, tarado. ¿Después de todos estos años no me reconoces la voz?

—¿Qué es lo que no te gusta?

—No me gusta entrar en ese almacén sin ningún respaldo ni equipo SWAT.

—Vito es tu respaldo.

—La última vez que vi a Vito, el respaldo que me daba era empujarme hacia una tumba recién cavada.

—¿No confías en él?

—¿Por qué debería hacerlo? ¿Porque finalmente no me mató?

—Para empezar.

—Eso fue porque le tenía miedo a Eduardo.

—Más bien porque *respetaba* a Eduardo.

—Como sea. Lo cierto es que no lo hizo porque de pronto yo le caí bien.

—A lo mejor le gustaba Holly.

—A ella también iba a matarla.

—En eso tienes razón.

—Desde luego que sí. Lo que no sé es qué pasará cuando entremos allí. Si es que entramos.

—Estarán conmigo.

—Tú no eres suficientemente fornido para que yo me pueda esconder detrás de ti.

—Él me respeta.

—¿Por qué? ¿Porque cuando tenía diez años lo salvaste de un grupo de matones?

—No, porque lo salvé de una buena temporada en la cárcel, y eso él lo aprecia.

—Bueno, eso es con respecto a ti. ¿Qué me dices de Holly y de mí?

—Es transferible.

—¿Qué?

—El respeto.

—Mira, estos idiotas están todo el tiempo asesinando a gente que respetan, y tú lo sabes bien. El respeto parece ir variando de un día al otro. Un día uno es un príncipe para ese individuo y al día siguiente está dentro de un tambor lleno de 200 kilos de barro en un pantano de Nueva Jersey, esperando el Día del Juicio Final.

—Stone, creo que nunca te vi tan nervioso.

—Creo que nunca tuve más motivos para sentirme nervioso. He sido amenazado y baleado y arrastrado por todo el país, y...

Holly lo interrumpió:

—Yo no te *arrastré* por todo el país —dijo—. Viniste voluntariamente.

—Eso fue sólo porque quería acostarme contigo.

—Ya te habías acostado conmigo. ¡Qué rápido lo olvidas!

Dino intervino:

—¿Tú querías acostarte conmigo?

—Oh, cállate. Sabes que se lo decía a Holly.

—¿Cómo quieres que sepa a quién le hablas? Yo sólo puedo oírte.

—Tenemos que tener un plan, Dino.

—¿Qué clase de plan?

—La clase de plan en la que hombres de trajes negros, chalecos antibalas, armas automáticas y granadas de estruendo entran primero y nos avisan cuando tienen esposado a Trini.

—Tú no entiendes. Vito tiene cierta reputación en su comunidad. No reaccionaría bien a equipos de asalto que corren por los pasillos de su almacén y arrojan granadas de estruendo. No le daría una buena imagen en su vecindario.

—Bueno, necesitamos *algún* plan —dijo Stone.

—¿Qué clase de plan quieres?

—Sugiéreme algo.

—No sé qué sugerir. Yo no tengo problemas con entrar en el almacén y hablar con Vito.

—¿Qué tal si primero envías al almacén a algunos hombres con la misión secreta de hacer algunas compras y practicar un reconocimiento del lugar?

—Sí, claro, como si no fueran a tener el aspecto de turistas procedentes de Alabama. En el vecindario todos se darían cuenta.

—Bueno, entonces piensa en *algo*, Dino.

—Te volveré a llamar —dijo Dino y cortó la comunicación.

—¡Epa! —gritó Stone al teléfono—. ¡No me cortes!

—¿Él te cortó? —preguntó Holly.

—Me cortó y dijo que me volvería a llamar.

—Entonces te llamará.

—¿Me oíste explicitar mi preocupación?

—Sí, te oí. Y, realmente no veo dónde está el problema. Vito solamente dijo que fuéramos allá.

—¿Así que ahora *tú* confías en Vito? ¿El hombre que te iba a meter dos balas en la cabeza y te iba a enterrar en su sótano?

—Confieso que me resultó bastante atractivo.

—¿Es un maldito mafioso y te resulta atractivo?

—Bueno, tu amigo Eduardo es también un maldito mafioso y tú le tienes afecto.

—En primer lugar, él no es un maldito mafioso, es más... qué se yo, un estadista entrado en años de la diplomacia ítalo-norteamericana.

—Es un maldito mafioso.

—Y yo conozco mucho más a Eduardo de lo que tú conoces a Vito.

—Eso te lo acepto. ¿Por qué no esperamos a oír lo que Dino tiene que decir?

Sonó la campanilla del teléfono y Stone contestó.

—Hola.

—De acuerdo, mira...

—¿Quién habla?

—¿Ahora *tú* no reconoces *mi* voz?

—¿Qué quieres?

—Hablé con Vito y todo está bien.

—¿Ése es tu plan? ¿Hablaste con Vito y todo está bien?

—Ése es mi plan.

Stone se echó a reír.

—De acuerdo. ¿Qué tenemos que hacer?

—Vito me sugirió que fuéramos en mi automóvil, puesto que el tuyo es demasiado conocido en el vecindario, así que los pasaré a buscar a las diez y media.

—Perfecto —dijo Stone y cortó.

—¿Habló con Vito y todo está bien?

—Sí.

—¿Y ése es el plan?

—Sí.

56

Stone condujo a Holly al piso superior, se acercó a la caja fuerte y la abrió.

—No me siento cómodo de ir tras ese tipo con tu Sig-Sauer y mi Walther —dijo y buscó algo en la caja—. Las dos son 38 milímetros y necesitamos algo más potente.

—¿Qué tienes en mente? —preguntó Holly.

Stone le entregó un arma.

—Éste es un Sig P239 —dijo—. Es un poco más grande que tu P232 y es 9 milímetros.

—Yo tengo una. ¿Qué municiones usaremos?

Él siguió buscando un poco más y encontró un cargador.

—Esto está cargado con munición MagSafe. ¿La conoces?

—Me suena conocida. Recuérdamelo.

—En lugar de una cabeza de plomo lleva una de epoxy y tiene bastante poder de impacto. Es capaz de perforar un chaleco antibalas no muy grueso, pero lo bueno es que aunque atraviese un cuerpo por completo no rebotará y tampoco matará a un transeúnte. Pero sí provoca una gran herida en quien la recibe.

—¿Por qué no se la usa de manera constante?

—Porque cada proyectil cuesta alrededor de tres dólares. Es mejor ahorrarlas para ocasiones especiales.

—¿Y qué llevas tú?

Stone le entregó su pistola.

—Es una Sig Pro. Alguien que conozco me la mandó. Tiene un cargador de quince proyectiles.

—Yo quiero ésta —dijo ella y se la sujetó en la cintura de los jeans.

—Está bien. Yo me llevaré la P239 —le dio a Holly el cargador de la Pro y cerró la caja fuerte—. Vámonos.

—Muy bien —dijo Dino cuando a media mañana se dirigían hacia el centro de la ciudad—, esto es lo que Vito me dijo. ¿Están listos para oírlo?

—Estamos listos —dijo Stone.

—Piensa atraer a Trini al almacén con una historia realmente buena.

—¿Cuál es esa historia?

—La historia es que un camión va a hacer una entrega al almacén de Vito y la mitad del camión es un compartimento transformado en una habitación. Tiene aire acondicionado, una cama, una silla, luces, un baño químico y muchas revistas puercas. Según Vito, ese camión realmente existe.

—¿Qué tiene que ver el camión con esto? —preguntó Holly.

—Vito le dijo a Trini que dos tipos lo van a llevar a Florida en el camión, sin hacer ninguna escala. Tendrá buena comida, agua y los revistas en la parte de atrás, y estarán allí en 24 horas.

—¿Trini quiere regresar a Florida?

—Asegura que allá es capaz de perderse entre sus amigos y que después tomará un barco a alguna parte. Si alguien llega a parar el camión, la división que da a la parte de atrás está repleta de cajas y cajones con alimentos italianos. Muy ingenioso, ¿no te parece?

—Sí, bastante —reconoció Holly.

—¿Es así cómo Vito está seguro de que Trini estará allí hoy?

—Así es. Dijo que llegaría al mediodía.

—¿Y así como así Vito me entregará a Trini?

—Ésa es la idea.

—No entiendo —dijo ella.

—¿Qué?

—¿Qué gana Vito con esto?

—Hace feliz a Eduardo.

—¿Eduardo sigue metido en esto? —preguntó Stone.

—Al parecer, hasta las orejas, y a Vito siempre le gusta hacer feliz a Eduardo. En su negocio, al que hace feliz a Eduardo le pasan cosas muy buenas.

—Esto es suficientemente disparatado como para que salga bien —dijo Holly.

—Aguarda un minuto —dijo Stone.

—¿Qué pasa?

—Trini estuvo involucrado en el hecho de que Vito nos secuestrara, ¿verdad?

—Supongo que sí —respondió Dino.

—Entonces me gustaría saber qué le dijo Vito.

—¿Por qué no te distiendes y dejas que todo esto pase?

—Está bien, supongo que Vito habrá sido capaz de decirle *algo*.

—Puedes apostar a que sí.

—¿Cuál es el plan cuando lleguemos allá?

—Vito nos lo dirá entonces.

Los tres entraron caminando en el almacén de Vito Galeano a las once en punto de la mañana. El local no era terriblemente grande: había un mostrador en el fondo y después de medio tramo de escaleras, un loft que era la oficina desde la que Vito podía ver la totalidad del almacén. Era un lugar anticuado y en el que reinaba el aroma de los chorizos que colgaban del techo y a especias. Vito bajó por la escalera, revisó con la vista a cada uno de los seis clientes que había en el salón y por último hizo otro tanto con Stone, Dino y Holly.

—*Buon giorno* —le dijo a Dino.

—*Buon giorno* —le respondió Dino.

—¿Cómo están ustedes? —les preguntó a Stone y a Holly.

—Bien —le respondieron ambos al unísono.

—Éste es Gino —dijo él y señaló al individuo de delantal que estaba detrás del mostrador, quien saludó a los tres con la cabeza.

Vito metió una mano debajo del mostrador, sacó un delantal y se lo dio a Dino.

—Así es como haremos esto —dijo—. Dino, tú eres el único que puedes dar la impresión de estar trabajando aquí, así que ponte el delantal y párate detrás del mostrador junto a Gino. Mientras esperamos, presta atención a la forma en que él trabaja, así no parecerás torpe cuando Trini entre.

—Muy bien —dijo Dino. Se quitó la chaqueta y la corbata, se arremangó la camisa y se puso el delantal.

—Naciste para esto —comentó Stone.

—No digas pavadas.

—Ustedes dos —dijo Gino indicando con la cabeza a Stone y Holly—, vayan a un costado del local, para que las estanterías los oculten. Cuando Trini entre, avanzará por el pasillo central, como lo hace todo el mundo. Cuando eso suceda, Gino, Dino, uno de ustedes dos preguntará en voz alta: "Vito, ¿qué precio tiene un salame de Génova entero?". Ésa es la contraseña que indicará que Trini está en el almacén. —Miró hacia la calle.— Aquí viene el camión.

Todos giraron la cabeza para ver cómo un camión pintado de negro estacionaba junto a la acera. En un costado tenía pintada la leyenda: "Gaetano Galeano e Hijos. Provisiones de Calidad", con una letra de estilo florido.

—Qué camión precioso —dijo Stone.

—Gracias —dijo Vito—. Mi padre lo diseñó antes de que los genoveses lo atraparan en la cancha de bochas de la cafetería.

—Lo lamento —dijo Stone.

Vito se encogió de hombros.

—Son gajes del oficio —dijo—. Sea como fuere, cuando Trini avance por el pasillo central y ustedes oigan la pregunta acerca del precio del salame, salgan de su escondite y pónganse detrás de Trini. ¿Me siguen?

Todos asintieron.

—Pero no le disparen a nadie. Salvo a Trini, si no les queda más remedio.

De nuevo sacudieron la cabeza.

—Arriba, en mi oficina, habrá un hombre con una escopeta. Dino y Gino también están armados; Trini quedará rodeado. —Miró a Holly.— ¿Trajo esposas?

Ella asintió.

—Tres pares.

—Usted lo registra y le pone las esposas, entonces nosotros lo arrastramos hacia las escaleras —dijo Vito y con la cabeza indicó una puerta que conducía a las escaleras que daban al sótano.

Stone no quiso pensar siquiera en ese sótano.

—Y, después, ¿qué?

—Entonces empezamos a conversar.

—¿Acerca de qué? —preguntó Holly.

Dino levantó una mano.

—Ustedes hablarán. —Le lanzó a Stone una mirada que significaba que no le gustaba nada lo que estaba pasando.

Stone se encogió apenas de hombros; no era momento de entrar a discutir.

—¿El camión es auténtico? —preguntó Holly.

—¿En qué sentido auténtico? —preguntó Vito—. ¿Nunca vio un camión?

—Lo que quiero saber es si realmente tiene ese compartimento oculto.

—Sí. Cada tanto viene muy bien —contestó Vito. Después miró a Dino—. Tú ya te habías olvidado de su existencia, ¿no?

—Así es —respondió Dino.

—¿Alguien tiene apetito? —de debajo del mostrador sacó una bandeja con aceitunas y rodajas de salame—. Tenemos muestras gratis.

Todos tomaron algo por cortesía, salvo Stone, quien lo hizo porque tenía hambre.

—Muy bien, ahora sepárense y hagámoslo —dijo Vito.

Dino saltó por encima del mostrador y ocupó su posición. Stone y Holly se dirigieron al lugar que Vito les habían indicado. Desde allí no podían ver la puerta de entrada del almacén.

—¿Qué plan tienes? —preguntó Stone.

—Lo que Vito dijo —respondió Holly.

—Me refiero a después de que lo arrestemos. ¿Qué harás con él?

—Todavía no lo pensé —contestó ella mientras sacaba la Sig Pro del bolso y metía un proyectil en la recámara.

—Es hora de que lo hagas —dijo Stone—. Dentro de algunos minutos tendrás a un criminal peligroso en las manos y más te vale pensar cómo lo vas a manejar.

—Me lo llevaré a casa —dijo ella.

—¿Cómo?

—En avión.

—Piensa en los problemas que Trini podría crear en un avión con un par de cientos de civiles de espectadores. Y después tienes que llevarlo a Orchid Beach.

—Tomaremos un vuelo a Palm Beach y haré que un automóvil policial nos vaya a buscar al aeropuerto.

—Yo tengo una idea mejor.

—¿Cuál?

—En Teterboro conozco a un individuo que puede proveer un charter jet a pedido... algo liviano, como un Lear o un CitationJet.

—¿Cuánto va a costar eso?

—Calculo que entre 8000 y 10.000 dólares.

—Puedo pagarlo. Mi departamento tiene un fondo para gastos de emergencia.

—En mi opinión, sería lo mejor. Metemos a Trini en el automóvil de Dino y lo llevamos a Teterboro, donde nos aguarda un jet con los motores encendidos. Luego, en dos horas y media o tres estarás en casa.

—¿Tú vendrás conmigo?

—Una vez que él esté a bordo del jet, ya no me necesitarás —dijo Stone.

—No digas eso, sí que te necesito —dijo ella, mimosa.

—Pensé que anoche habíamos satisfecho esa necesidad.

—Sólo transitoriamente.

—Veré qué puedo hacer al respecto.

—¡Vito! —gritó de pronto Dino—. ¿Qué precio tiene el salame genovés entero?

—Trini está en el local —susurró Stone—. Aquí vamos.

58

Stone espió por entre los estantes y vio a Trini avanzar hacia el mostrador con una enorme pistola semiautomática metida en la parte de atrás del cinturón. Stone le hizo señas a Holly, y los dos caminaron hacia él.

Dino esperaba a Trini con una semisonrisa en la cara.

—*Buon giorno* —dijo.

—Sí, sí. ¿Dónde está Vito? —respondió Trini.

Dino echó hacia atrás la mano, tomó el arma y se la apoyó a Trini en la cara.

Trini trató de aferrar su propia arma, pero Stone lo sujetó por la muñeca y le levantó el brazo entre los omóplatos, mientras Holly le quitaba el arma y le esposaba una mano.

Holly lo golpeó en la nuca con la almohadilla de la mano.

—Inclínate sobre el mostrador, estúpido, y dame tu otra mano.

Stone ejerció cierta presión sobre la llave a modo de énfasis.

—Haz lo que dice la señora.

De mala gana, Trini le ofreció la otra muñeca y entonces quedó completamente esposado.

Holly guardó su arma en el bolso y pasó a registrar concienzudamente a Trini: adelante, atrás y en la entrepierna.

—¿Qué pasa? ¿Quieres comerte eso, preciosa? —dijo Trini con una sonrisa presuntuosa mientras ella seguía palpándolo.

—No te preocupes —le respondió ella—, serán muchos los tipos que querrán hacerlo adonde tú vas a ir, y tú serás el receptor de todo ese interés. Terminarás convertido en la puta de algún muchachote.

Trini comenzó a patearla y a escupirla, hasta que Stone lo golpeó en la entrepierna. Entonces se volvió más manejable.

—¿Te mencioné —preguntó Holly— que estás arrestado y que tienes derecho a permanecer en silencio?

—Llevémoslo abajo —dijo Dino.

Dos de los hombres de Vito se materializaron y arrastraron a Trini al sótano. Vito llamó a Dino a un rincón y los dos hombres comenzaron a hablar. Holly y Stone permanecieron junto al mostrador.

—No puedo creerlo —dijo Holly—. Así como así —dijo y chasqueó los dedos— y todo terminó.

Pero Stone observaba a Dino y a Vito mientras la conversación de ambos, aunque en voz baja, se volvía cada vez más animada.

—Tal vez no haya acabado todavía —dijo él y movió la cabeza hacia los dos hombres.

Holly los observó un momento.

—¿Qué está pasando?

Dino giró y comenzó a caminar hacia ellos.

—Tengo la sensación de que estamos por saberlo —dijo Stone.

Dino parecía mortificado.

—Hay un problema —dijo.

—¿Qué problema? —preguntó Holly.

—Un problema con respecto a Trini.

—¿Qué, ahora ellos quieren meterlo en la fosa del sótano? —preguntó Stone.

Dino sacudió la cabeza.

—No. Lo quieren vivo. Quieren la recompensa.

—¿Cuál recompensa? —preguntó Holly.

—Los 100.000 dólares que el FBI ofreció por Trini.

La respiración de Holly parecía descontrolada.

—Aguarda un minuto, Dino —dijo Stone—. Nosotros teníamos un trato.

Dino apartó la vista.

—Pues todo parece indicar que ya no lo tenemos.

Finalmente Holly pudo hablar.

—Dino, dile a Vito… —calló—. No te molestes, se lo diré yo misma.

—Holly… —Dino trató de asirla por un brazo, pero ella se liberó y caminó hacia Vito, quien no pareció alegrarse nada al verla acercarse.

Stone apartó a Dino de los otros dos.

—Deja que Holly lo intente. Con ello no pierde nada.

—No, supongo que no pierde nada. Esto realmente me mortifica.

—No es culpa tuya.

—Vito dice que nosotros no hicimos un trato, que en ningún momento lo cerramos con un apretón de manos.

—¿Con un apretón de manos? ¿Qué es esto, la escuela secundaria?

—Aparentemente, sí. De todos modos, los 100.000 dólares parecen invalidar cualquier argumento que yo pudiera esgrimir.

Stone miró a Holly y a Vito, aunque no pudiera oír qué decían. Hablaban intensamente, pero Holly no movía los brazos ni gritaba.

—Mira eso —dijo.

Dino observó a ambos.

—Ella parece terriblemente serena —dijo—. Y yo que tenía miedo de que lo matara de un tiro.

—Ahora sonríe.

—Y Vito también.

Entonces, para azoramiento de Stone y de Dino, Holly y Vito se estrecharon las manos.

Holly volvió adonde estaban parados.

—Salgamos de aquí —dijo.

Regresaron al automóvil y Stone aguardó hasta estar adentro del vehículo para empezar a hablar.

—¿Qué demonios fue eso? —preguntó.

Holly parecía muy complacida consigo misma.

—Le hice un ofrecimiento que no pudo rechazar.

Stone y Dino, que estaban en el asiento de adelante, se miraron.

—¿Qué diablos? —dijo Dino.

—Dino, ¿me harías un gran favor? —preguntó Holly, buscó su teléfono celular del bolso y marcó un número.

—Por supuesto, lo que quieras.

—¿Me llevarías a la casa de Stone, esperarías mientras yo guardo mis cosas en un bolso y después me llevarías a La Guardia?

—Sí, claro, lo que sea —respondió Dino.

Holly comenzó a hablar con un empleado de reservas de una compañía aérea.

Stone miró a Dino.

—¿Tienes alguna idea de lo que está pasando?

Dino se encogió de hombros.

—Creo que la señora esta harta de ti y quiere volverse a su casa.

—Holly —dijo Stone—, ¿qué sucede?

Ella le hizo señas de que se callara.

—Estoy hablando por teléfono —fue su respuesta áspera.

59

La tarde siguiente, de regreso en Orchid Beach, Holly dejó su oficina al oscurecer y se dirigió en automóvil por la A1A, con Daisy en el asiento del acompañante, cuya nariz asomaba por la ventanilla y olisqueaba el aire húmedo de Florida.

Holly giró a la izquierda en un camino secundario y, al cabo de un kilómetro y medio, llegó al portón de atrás de una urbanización que en una época se llamó Palmetto Gardens y, después, Blood Orchid, y que estaba ahora en manos de los federales. Frenó y, dejando el motor en marcha y las luces encendidas, se bajó y se acercó al lugar donde una cadena con candado mantenía cerrado el portón. Holly conocía la combinación del candado porque lo había puesto ella misma. Un momento después sacó la cadena y entró con el vehículo. Volvió a cerrar el portón y dobló hacia la izquierda, por un camino que corría paralelo a un campo de golf.

El campo parecía en buen estado, puesto que el FBI había conservado el personal hasta poder vender el lugar. El remate estaba previsto para una semana después, razón por la cual se habían esmerado a fondo para que el terreno luciera espléndido.

Holly entró por un sendero de tierra y avanzó 50 metros. Después frenó, apagó el motor y se bajó del vehículo, seguida por Daisy. Empuñando su linterna, avanzó decididamente por el bosque y encendió un momento la linterna por segunda vez para encontrar su camino. Daisy corrió adelante, asustando a las liebres y olisqueándolo todo.

Llegó a un roble de unos nueve metros de altura y se detuvo. Permaneció allí de pie durante algunos minutos, dejó que su visión nocturna aumentara y miró en todas direcciones para comprobar si había gente cerca. La propiedad parecía desierta y, mientras aguardaba, una luna llena asomó por el este haciendo que la linterna fuera innecesaria.

La volvió a poner en su funda, se quitó la pesada pistolera y comenzó a trepar por el árbol, mientras Daisy la observaba, absorta. Cuando estaba por la mitad de la ascensión, a unos seis metros de altura, se detuvo. La caja todavía estaba allí, aunque cubierta de polen del pino. Miró hacia abajo.

—Daisy —dijo—, ve para allá —le indicó y señaló con un dedo y Daisy siguió sus instrucciones—. Siéntate. —La perra lo hizo.— Quédate. —Y Daisy lo hizo.

Qué demonios —pensó—, la caja era sólida. La tomó por el asa, la meció un momento y luego la soltó. La caja golpeó contra una rama y después cayó libremente al suelo cubierto de hojas de pino. Rebotó una vez y a continuación cayó de costado, intacta.

Holly bajó del árbol, tomó la caja y la puso en el maletero de su automóvil patrullero. Hizo subir a Daisy al vehículo, abrió el portón y enfiló hacia la ciudad.

Entró en el garaje subterráneo que había debajo del Departamento de Policía, estacionó el automóvil y sacó la caja. Era más pesada de lo que recordaba, y fue un esfuerzo subirla a su oficina. En la sala del escuadrón había solamente dos personas: un agente de servicio que manejaba los teléfonos y la radio y un detective que trataba de ponerse al día con el papeleo. El resto de los del turno noche se encontraba patrullando las calles.

Llevó la caja a su oficina, humedeció unas toallas de papel y le quitó el polen de pino, haciendo que su superficie negra de aluminio casi pareciera nueva. Entonces colocó la caja sobre una mesa, la abrió y se encontró con el espectáculo de hileras de billetes de 100 dólares, distribuidos en fajos de 100, cada uno de los cuales estaba sujeto con una banda elástica. Contó veinte fajos y los puso dentro de una pequeña bolsa de lona con cierre automático. Después contó otros diez fajos, los dejó caer dentro de un sobre de Federal Express y escribió una nota en su papel de carta con membrete. Puso la nota en el sobre, lo cerró, llenó un formulario de FedEx con la dirección del destinatario y lo pegó en el sobre.

Entonces levantó la pesada caja y la puso en la sala de pruebas, que se encontraba en tinieblas. Revisó el procedimiento para colocar los candados de combinación en la caja, la cerró y miró toda la habitación en busca del lugar apropiado. Lo encontró entre algunas cajas archivo que habían sido capturadas durante una redada de la división antidrogas y allí la colocó. Entonces tomó un rótulo autoadhesivo para pruebas, puso en él su nombre y lo pegó a un costado de la caja. Si alguien la encontraba, no podría abrirla y si le hacían preguntas al respecto siempre podía decir que había olvidado registrarla.

Regresó a su oficina, tomó el bolso de lona y el paquete para FedEx y los puso sobre el escritorio mientras consultaba el reloj. Eran casi las diez. El llamado se produciría pronto. Encendió la lámpara del escritorio, tomó una revista de la fuerza policial, apoyó los pies en el escritorio y comenzó a leer. Veinte minutos después el teléfono celular comenzó a vibrar en su cintura.

—¿Sí?

—Eh, ¿estás lista para nosotros?

—Sí. —Le preguntó dónde estaba, le dio indicaciones y luego cortó la comunicación, tomó el bolso y el paquete para FedEx y caminó hacia el garaje con Daisy pisándole los talones.

Sacó algunas cosas del automóvil y esperó en el garaje durante otros veinte minutos, hasta que afuera aparecieron dos faros. Salió y levantó una mano para que la camioneta se detuviera.

Dos hombres se apearon.

—Hola, ¿cómo estás? —preguntó el pasajero.

—Estoy bien. ¿Tienes mi paquete?

—Claro. ¿Y tú tienes *el mío*?

Ella le entregó el bolso de lona.

—Está en fajos de 100 billetes de 100. Cuéntalos.

Él los contó con mucho cuidado.

—Está bien —dijo, y se dirigió a la parte de atrás del vehículo.

Holly observó cómo los dos hombres bajaban una docena de cajas de la parte trasera de la camioneta. Entonces un hombre subió y dio varios pasos. Golpeó contra algo.

—Eh, hombre, estamos aquí —le gritó—. ¿Estás listo para salir?

Holly encendió su linterna, iluminó el interior de la camioneta y empuñó el arma.

—Aquí vamos —dijo el hombre y abrió la puerta.

Trini Rodríguez apareció iluminado por el fuerte resplandor de la linterna y levantó una mano para cubrirse los ojos. De hecho, estaría ciego durante uno o dos minutos. Siguió al otro hombre y luego saltó del vehículo.

—Eh, ¿qué es esa luz? —preguntó.

Holly sostuvo el haz de luz de modo que iluminara su arma, que apuntaba a la cabeza de Trini.

—Acuéstate en el piso —dijo ella.

—¿Qué?

—¿Ves la pistola? Acuéstate en el suelo o te meteré una bala en el cuerpo.

Trini la obedeció.

—¿Está desarmado? —les preguntó Holly a los hombres.

—Por supuesto que sí.

—¿Qué diablos sucede? —preguntó Trini.

Holly le entregó el cinturón a uno de los hombres.

—Pónganselo —dijo—, pero sujeto atrás. —Ella los observó sujetarlo con el cinturón y hacerlo girar para que quedara boca arriba. Entonces les dio las esposas. —Pásenlas por el anillo y espósenlo, con las manos adelante —dijo ella, y ellos lo hicieron—. Ahora párenlo.

Lo pusieron de pie y después dieron un paso atrás.

—Vigílalo, Daisy —dijo y señaló a Trini.

Daisy se instaló frente a él, le mostró los dientes y le dirigió gruñidos amenazadores.

—¡Sáquenme ese perro de encima! —aulló Trini.

—Pórtate bien o te mostraré cómo ese animal ha sido entrenado para comer genitales —dijo Holly. Se dirigió a los dos hombres—. Caballeros, nuestro negocio ha concluido. Por favor agradézcanle a Vito en mi nombre y dénle saludos míos.

Ellos le desearon buenas noches, subieron a la camioneta y se alejaron.

—Ahora —le dijo ella a Trini—, estás arrestado. Vamos a simular que te leí tus derechos y espero que, en el trayecto hasta la celda que te espera, me des un motivo para que la perra te ataque y yo te dispare a la cabeza. Ahora date vuelta y camina.

Trini lo hizo.

Diez minutos más tarde Trini fue arrestado y fichado.

—Mañana por la mañana lo procesarán —le dijo al agente

de servicio que la había ayudado—. El papeleo ya está listo.
Antes denle algo de desayuno.

Trini le lanzó una mirada amenazadora a través de los barrotes.

—Yo voy a darte tu merecido —dijo.

—Trini —contestó ella—, se terminaron tus amenazas: acabas de pasar tu último día en la Tierra como hombre libre. El resto de tus días, que están contados, mirarás el mundo a través de los barrotes, hasta el momento en que te claven la aguja en el brazo.

Camino de regreso a casa, Holly se detuvo en un buzón de FedEx y dejó caer en él su paquete.

—Ahora vayamos a casa y a comer algo —le dijo a Daisy.

Daisy hizo un ruidito como en anticipación. Sabía bien el significado de la palabra "comer".

Holly condujo hacia su casa con una maravillosa sensación de satisfacción. Ahora su única preocupación era qué hacer con respecto al ofrecimiento de trabajo de Lance Cabot. Mentalmente, y sólo para divertirse, comenzó a redactar una carta de renuncia dirigida a la Alcaldía de Orchid Beach.

60

Stone se encontraba sentado frente a su escritorio cuando Joan entró con un paquete de Federal Express.

—Esto acaba de llegar para ti —dijo ella—. ¿Quieres que lo abra?

—Yo lo haré —dijo Stone y miró la dirección del remitente. Abrió el paquete y arrojó su contenido sobre el escritorio, mientras su secretaria lo observaba.

—!Diablos! —exclamó Joan, con un lenguaje nada habitual en ella.

Stone tomó la nota que había entre los fajos de billetes.

—"Por servicios prestados" —leyó en voz alta.

—No quiero ni pensar en cuáles fueron esos servicios —comentó Joan.

Stone se echó a reír.

—¿Qué te divierte tanto?

—Nunca pensé que usaría el efectivo —respondió él.

—¿Quién?

—Holly Barker. Registra este dinero, guárdalo en la caja fuerte e incluye los impuestos en el próximo pago trimestral al IRS.

—Sí, jefe —dijo Joan, puso el dinero de vuelta en el sobre y abandonó la oficina.

Stone tomó una hoja de su papel con membrete y comenzó a escribir.

Pago recibido. No sé qué decidiste hacer con respecto al ofrecimiento de trabajo de Lance (y de asesorarte con la inversión de tu dinero en bancos del extranjero), pero espero que tu decisión te traiga pronto por aquí. Sería divertido conocerte sin la carga de tener que cazar a otra persona. Saludos especiales a Ham, Ginny y Daisy.

Con mucho afecto
Stone

Escribió la dirección en el sobre, lo cerró, se puso la chaqueta y, de camino, dejó caer el sobre en el escritorio de Joan.

—¿Adónde vas? —preguntó ella.

—A ver Porsches —contestó él, salió y cerró la puerta.

Reconocimientos

Quiero expresar mi gratitud a mi editor, David Highfill, y a todos los de Putnam que trabajaron tanto para hacer que este libro lleguara los lectores.

También me gustaría agradecer a mis agentes literarios Morton Janklow y Anne Sibbald y a todos los que trabajan en Janklow & Nesbit por haberme representado a lo largo de los últimos 22 años. Realmente aprecio muchísimo su excelente labor.

Nota del autor

M e encanta recibir cartas de mis lectores, pero ustedes deberían saber que si me escriben a través de mi editor, pasarán entre tres y seis meses antes de que yo reciba sus cartas, y cuando finalmente llegan a mis manos serán apenas unas entre muchas y yo no podré responderlas.

Sin embargo, si tienen acceso a Internet, pueden visitar mi página web —www.stuartwoods.com—, donde hay un botón para enviarme mensajes de correo electrónico. Hasta el momento he podido contestar todos los mensajes que recibo y seguiré tratando de hacerlo.

Si me envían uno y no reciben respuesta, es debido a que están incluidos en el número alarmante de personas que han escrito incorrectamente su dirección de correo electrónico. Muchas de mis respuestas me son devueltas por ese motivo.

Recuérdenlo: correo electrónico = respuesta; correo tortuga = ninguna respuesta.

Cuando me envíen un mensaje, por favor no me envíen adjuntos, pues *jamás* los abro. Puede llevar hasta veinte minutos descargarlos, y con frecuencia contienen virus.

Por favor no me incluyan en su lista de direcciones para enviar chistes, oraciones, causas políticas, campañas para recaudar fondos para entidades benéficas, pedidos o tonterías sentimentales. Ya recibo suficientes de esa clase enviadas por personas que realmente conozco. En líneas generales, cuando recibo un mensaje dirigido a una gran cantidad de personas, inmediatamente lo borro sin siquiera leerlo.

Por favor no me envíen sus ideas para un libro, pues mi política es escribir solamente lo que yo mismo invento. Si me mandan esta clase de ideas, las borraré enseguida sin leerlas. Si tienen una buena idea para un libro, escríbanlo ustedes, pero yo no podré aconsejarlos con respecto a cómo conseguir que lo publiquen. Cómprense un ejemplar de *Writer's Market* en cualquier librería y les dirá qué deben hacer para lograrlo.

Cualquiera con un pedido relativo a eventos o presenta-

ciones puede enviarme un mensaje o dirigirlo a Publicity De-
partment, G.P.Putnam's Sons, 375 Hudson Street, New York, NY
10014.

Las personas ambiciosas que deseen comprar los derechos de mis libros para llevarlos al cine, al teatro o a la televisión, deberían ponerse en contacto con Anne Sibbald, Janklow
& Nesbit, 445 Park Avenue, New York, NY 10022.

Si quieren saber si firmaré ejemplares de mis libros en su
ciudad, por favor visiten mi página web, www.stuartwoods.com,
donde con un mes de anticipación figura siempre el plan de
mis viajes con tal fin. Si desean que vaya a su localidad para firmar mis libros, pídanle a su librero favorito que se ponga en
contacto con el representante de Putnam o con el Departamento de Publicidad de G.P.Putnam's Sons con el pedido.

Si encuentran errores tipográficos o editoriales en mis libros y sienten la necesidad irresistible de decírselo a alguien,
por favor escríbanle a David Highfill en Putnam, cuya dirección
figura más arriba. No me envíen por correo electrónico sus ha-
llazgos, puesto que lo más probable es que yo ya me haya enterado de ellos por otra vía.

Impreso en Verlap S.A.
Comandante Spurr 653, Avellaneda,
Provincia de Buenos Aires,
en el mes de marzo de 2005.